Geometría sagrada

Desvelando el significado espiritual de varias formas y símbolos

Su regalo gratuito

¡Gracias por descargar este libro! Si desea aprender más acerca de varios temas de espiritualidad, entonces únase a la comunidad de Mari Silva y obtenga el MP3 de meditación guiada para despertar su tercer ojo. Este MP3 de meditación guiada está diseñado para abrir y fortalecer el tercer ojo para que pueda experimentar un estado superior de conciencia.

https://livetolearn.lpages.co/mari-silva-third-eye-meditation-mp3-spanish/

Tabla de contenidos

Introducción

Hola, explorador. Dentro de las páginas de este libro se encuentra una guía completa de la geometría sagrada. Contiene instrucciones e ilustraciones fáciles de entender, lo que lo hace perfecto para los principiantes que quieren aprender este arte, pero no quieren mucha información innecesariamente complicada.

Ofreciendo una visión de cómo puede utilizarse la geometría sagrada en nuestras vidas hoy en día, este libro le enseña cómo aplicar esta práctica ancestral en sus asuntos cotidianos utilizando herramientas muy accesibles como los cristales curativos, la meditación, la música e incluso los diseños de tatuajes.

Le resultará difícil encontrar una introducción a la geometría sagrada mucho mejor que el libro que está leyendo actualmente, incluso si tiene poco o ningún conocimiento sobre el tema. Está bien escrito y ofrece un enfoque fácil de entender del concepto de geometría sagrada y sus aplicaciones, lo cual es importante porque se trata de un tema que puede complicarse muy rápidamente. Pero está aquí, así que no tiene por qué preocuparse.

Este libro profundiza en los vínculos entre la geometría sagrada, nuestra cultura y los orígenes de nuestro arte. Verá, este concepto no trata solo de las formas que vemos, sino de cómo funciona todo en el universo, incluido cómo funcionamos nosotros en él. Piense en ello como el plano de toda la vida.

Este libro se ha elaborado para explicar cómo y por qué la geometría sagrada es importante como entidad espiritual en su vida y para la aventura de ser humano. Pretende desafiar su mente y ayudarle a crear ese propósito en la vida que quizá haya buscado. Tanto si es completamente nuevo en este tema como si no le resulta extraño, este libro es un tesoro de información que le cambiará la vida. Se ha escrito con la sincera esperanza de que el lector adquiera conocimientos y dominio al aplicar lo aprendido. Si está preparado para alterar radicalmente su percepción de la vida para mejor, entremos de lleno con el tema en el capítulo uno, en el que hablamos de lo que realmente es la geometría sagrada.

Capítulo 1: ¿Qué es la geometría sagrada?

¿Qué es la geometría y qué puede ser sagrado en ella? La geometría es una rama de las matemáticas que estudia la estructura y el espacio. Tiene dos áreas fundamentales: la geometría euclidiana, que gira en torno a las superficies planas y bidimensionales y al espacio tridimensional que ocupan, y la geometría no euclidiana, que estudia las estructuras sobre superficies curvas.

La geometría sagrada se refiere a las formas geométricas que se encuentran en la naturaleza, el arte, la arquitectura y los diseños que algunos consideran basados en los patrones naturales de la vida. Estos patrones están siempre presentes cuando se crean estructuras sagradas o religiosas. Se cree que estas formas están imbuidas de un significado espiritual. Entre estas formas, podemos encontrar pentagramas, mandalas o átomos.

¿Cómo definiría la geometría sagrada a alguien que no sabe nada de ella? Para decirlo lo más brevemente posible, son formas o figuras especiales con significado o poder espiritual. En el mundo actual, cada vez más secular, el antiguo concepto de la geometría sagrada parece estar ganando popularidad una vez más. Este capítulo examinará este fascinante concepto y sus implicaciones científicas y matemáticas sobre la creación del universo.

La conexión divina con todas las cosas

En el mundo actual, la geometría sagrada se utiliza más como una forma de entender la vida, el universo y todo lo que hay en medio, que para tratar de encontrar algún tipo de conexión divina con él. Esta geometría puede verse en la arquitectura, donde muchos edificios tratan de incorporar estas ideas en su estructura. Por ejemplo, el Monumento a Washington o la Iglesia de San Ilario. También puede verse en otras formas de diseño como el arte, el paisajismo e incluso la moda. Personas de todo el mundo lo utilizan como inspiración para sus creaciones. No importa dónde esté o dónde mire, puede encontrar algún elemento de estas formas divinas a su alrededor, y esto, llegará a descubrir, no es una coincidencia. Todas las cosas proceden de lo divino, por lo que es natural esperar la huella de la divinidad en todos y cada uno de ellos de alguna forma.

Los orígenes de la geometría sagrada

Comencemos nuestro viaje hacia lo que es la geometría sagrada explorando algunos de sus posibles orígenes. Según E.J. Holmyard, autor del libro "La geometría del arte y de la vida", las primeras ideas de que las formas geométricas tenían algún tipo de origen divino se desarrollaron en Persia durante el periodo sasánida, entre los años

224 y 651. En esta época, existía la creencia de que Dios estaba presente en todo momento y en todo el mundo.

La geometría sagrada también desempeñó un papel importante en el desarrollo de las matemáticas en la antigua Grecia. Los primeros matemáticos griegos, como Pitágoras, Euclides y Arquímedes, se vieron influidos por estas formas. Estos matemáticos también se vieron influidos por los escritos de Platón y su creencia de que la geometría representaba un diseño divino. Pitágoras fue más allá y desarrolló una serie de principios matemáticos detrás de esta geometría divina, creando el concepto "triángulos pitagóricos", más conocido como el Teorema de Pitágoras. Estos triángulos representan algo más que las simples ecuaciones que se enseñan en las clases de matemáticas. Contienen números que representan ciertos conceptos como el amor, la armonía o la comprensión. Esto llevó a la creencia de que estos números también formaban parte del poder divino.

Las propias "leyes" de la física se consideran a menudo como inventos brillantes porque pueden utilizarse para explicar casi todos los fenómenos observados. La teoría de la relatividad proporciona pruebas de que un creador inteligente gobierna nuestro universo. Muchas teorías de la astronomía y la física se basan en el principio de que debe haber un creador inteligente detrás de todo. Parece prácticamente imposible examinar cualquier aspecto del universo sin encontrar pruebas recurrentes que apunten a un arquitecto magistral. Todas las experiencias, y de hecho, toda la vida, son algo más que una simple coincidencia, y si se estudia detenidamente, se pueden encontrar pruebas de que hay una inteligencia divina en acción.

La geometría sagrada en el arte y el diseño

La geometría sagrada también se utiliza en el arte como otra forma de representar este concepto de interconexión. Considere las pinturas de Leonardo da Vinci y otros artistas del Renacimiento como Alberto Durero, Rafael y Botticelli. Las obras de Platón también se han inspirado en gran medida en la geometría sagrada. En civilizaciones pasadas, como la egipcia y la griega, siempre ha existido la creencia común de que estas formas geométricas son de alguna manera "divinas" y poseen un poder espiritual. Esta idea se transmitió a las civilizaciones futuras, como la de los romanos, como se ve evidentemente en su arte. El islam también pareció incorporar esta creencia a su cultura y arquitectura, como se ve en las mezquitas y otros edificios.

Las antiguas maravillas de la geometría sagrada

A lo largo de los tiempos, las tradiciones espirituales y religiosas han intentado explicar el significado de la vida. Algunas culturas antiguas creían que había un ser supremo que creó la vida en la Tierra, mientras que otras creían en un caos sin ley más allá del universo y cuestionaban todo lo que había en el mundo. Independientemente de la forma que adoptaran estas creencias, siempre iban acompañadas de intentos de encontrar una explicación al significado que hay detrás de todo ello. Quien estudie la geometría sagrada verá esta misma búsqueda reflejada en todas las grandes culturas a lo largo de la historia.

La búsqueda de respuestas se remonta hasta el principio de los registros históricos. Muchas ruinas antiguas muestran pruebas de conocimientos matemáticos y astronómicos muy avanzados. Hoy en día, mucha gente cree que los neandertales fueron los primeros en comprender la importancia de la astrología y la astronomía. Muchos mitos y leyendas dan fe de este hecho, presentando a los neandertales como sabios ancianos que comprendían la importancia de las estrellas. ¿Sabía que existe una fuerte conexión entre la geometría sagrada, la astronomía y la astrología? De hecho, muchos astrólogos antiguos utilizaban la geometría sagrada para construir horóscopos y predecir el futuro. Y aunque algunos científicos actuales cuestionan esta conexión, es posible que incluso los seres más orientados a las matemáticas necesiten un poco de magia en sus vidas.

Los antiguos también comprendían la gravedad y su relación con otras fuerzas. Su conocimiento de las matemáticas y de la geometría sagrada también les permitía hacer cálculos sobre el movimiento planetario, utilizando las cartas del seno y del coseno para hacer estas deducciones increíblemente precisas.

Los egipcios son conocidos por sus pirámides. La más famosa es la Gran Pirámide de Khufu porque se considera la más bien conservada de todas las estructuras antiguas. Las pirámides se utilizaban como tumbas para los faraones, pero mucha gente desconoce que también se utilizaban como precisos observatorios astronómicos y lugares rituales. Las pirámides son un tesoro arqueológico e histórico, que retrata lo extraordinarios que eran los antiguos egipcios. Las pirámides de Giza son algunas de las estructuras más fascinantes de la Tierra. Construidas hace más de 4.500 años por una civilización que aun no había descubierto la carretilla ni siquiera las herramientas de metal, representan una proeza de ingeniería que se ha perdido en el tiempo. También representan una geometría sagrada que se remonta a los orígenes de la cultura humana. Muchos de los que visitan estas antiguas maravillas de piedra no comprenden su significado. Se dice que la forma de la pirámide es un símbolo del universo, que representa el importante aspecto de la dualidad. Sin embargo, no tiene cabida en la arquitectura o la ingeniería modernas.

Los antiguos creían que la Tierra era esférica y estaba situada en el centro del sistema solar. Creían que había una cúpula sobre ellos, con una pared que los separaba de esta cúpula llamada "el cielo". Los antiguos podían predecir los eclipses, las manchas solares, los acontecimientos lunares e incluso los ciclos orbitales de Mercurio en una escala de tiempo de horas -en lugar de años- con una precisión exacta. Todos estos cálculos tenían fuertes vínculos con los patrones recurrentes que se observaban en toda la naturaleza; entre ellos estaban estas formas únicas que definen el universo.

Deja Vu otra vez

Las matemáticas de la geometría sagrada pueden verse en diversas formas, como la música y la arquitectura. Puede que usted mismo se haya fijado en ellas y se haya preguntado dónde las ha visto antes y por qué son tan omnipresentes.

La geometría sagrada puede ser la base de muchos tamaños diferentes de notas musicales, como las proporciones entre la frecuencia de una nota y otra. La proporción común de estas frecuencias se conoce como "la proporción áurea", de la que se hablará adecuadamente en un capítulo posterior. Para despertar su interés, los estudios han demostrado que las imágenes construidas en torno a la proporción áurea pueden producir un efecto calmante en un individuo. Esto se debe a que estas imágenes están en equilibrio y son estéticamente agradables. La forma está matemáticamente preparada para crear una sensación de calma y paz. Esta proporción se puede encontrar repetida en toda la naturaleza y en muchas estructuras diferentes. Muchos más ejemplos se relacionan con esta idea y se han descubierto a lo largo de los tiempos. Desde formas como espirales, hexágonos, pentágonos, octógonos e incluso círculos, cada forma tiene un núcleo interno de espacio tridimensional, donde se dan diferentes variedades de geometría sagrada. Estos patrones se ven en todas partes, desde niveles microscópicos hasta enormes galaxias.

La geometría sagrada y la ciencia

Desde la antigua Grecia, la gente ha notado la existencia de patrones repetitivos en la naturaleza, incluyendo espirales, estrellas y todo lo demás. La primera explicación científica de cómo estas formas recurrentes eran el resultado de las fuerzas que actúan en nuestro planeta fue expresada por Johann Kepler (1571-1630), quien por casualidad se dio cuenta de que el número de planetas que orbitaban alrededor del sol era intencionado y no aleatorio. Kepler creía que las órbitas planetarias no eran aleatorias, sino que obedecían a un orden predecible. Aunque esta no era su principal prioridad, aportó varias pruebas, entre ellas los estudios sobre las manchas solares, que descubrió que eran elípticas y no circulares. Este descubrimiento reveló que la gravedad del sol no era uniforme, sino que afectaba a una zona.

En 1857, tras el trabajo de muchos científicos, Charles Wheatstone, que se había dedicado a la astronomía, la geología y la física, propuso una fórmula matemática para explicar desde las formas simples hasta las galaxias en espiral. Su teoría se demostró más tarde con la tecnología informática cuando se descubrió que la elipse de Kepler se ajustaba realmente de forma matemática a la disposición de las galaxias.

Arquitectura y geometría sagrada

Los antiguos griegos y romanos se inspiraron en la geometría para crear sus edificios. Fue entonces cuando la arquitectura comenzó a adoptar formas más armoniosas y bellas. Los griegos estaban especialmente obsesionados con la proporción áurea, que incorporaron a sus templos y posteriormente a su arquitectura. Se referían a esto cuando decían *"una forma humana en proporción"* o una *"forma de Dios",* que también se utilizaba en los antiguos obeliscos egipcios, en las pirámides e incluso en algunas de las murallas de la ciudad.

No fue hasta más tarde que arquitectos como Palladio (1518 – 1596) empezaron a llevar la geometría hacia direcciones más creativas. Por ejemplo, creó un paisaje completamente formado utilizando formas geométricas simples y añadiendo líneas de simetría dentro del diseño. Esto pasó a convertirse en su estilo de diseño característico, conocido como "El estilo de la Academia". A medida que ganaba fama, sus diseños siguieron influyendo en la arquitectura de todo el mundo, y muchos arquitectos emularon su estilo e incluso construyeron sus propios edificios basándose en sus dibujos.

Avancemos rápidamente hasta hoy; todavía vemos a mucha gente inspirada en esta obra arquitectónica temprana, con artistas que se centran en formas específicas y crean sus propias versiones, que pueden ser bastante hermosas, incluida la última obra de arte de Damien Hirst, *Amazing Nature*, que tiene una estructura muy orgánica, pero está formada por muchas formas geométricas repetitivas diferentes, como esferas, pentágonos y hexágonos.

El estudio de la geometría sagrada no se limita a la arquitectura. La gente sigue utilizando las mismas formas geométricas, pero simplemente las aplica a diferentes campos como la música y el arte.

El concepto principal es que crea energías y patrones bellamente armoniosos.

Sobre Kepler y la geometría sagrada

El término "geometría sagrada" tiene una definición bastante compleja, pero se puede resumir de la siguiente manera "La creencia de que ciertos patrones encontrados en la naturaleza -así como en las creaciones hechas por el hombre, como la arquitectura y el arte- son evidencia de una inteligencia divina". Para los antiguos griegos, la geometría sagrada tenía que ver con la comprensión y utilización de los principios universales de la armonía.

He aquí un breve resumen del trabajo de Kepler sobre la geometría sagrada y sus afirmaciones sobre cómo las formas geométricas tienen una conexión directa con nuestro mundo. El trabajo de Kepler, *"De Stella Nova"* (Sobre la nueva estrella), se publicó en 1606 y describía sus observaciones de una nueva estrella (recientemente identificada como la Supernova de Kepler) que apareció en octubre de 1604. Al estudiar los datos, Kepler se dio cuenta de que algo extraño ocurría con las órbitas de los planetas que seguían una serie de proporciones particulares. Observó cómo sus proporciones seguían la misma disposición geométrica simple que las notas musicales. Se dio cuenta de que dos líneas (en lugar de dos notas) dividían la órbita más externa de Marte en cinco partes iguales.

Kepler planteó entonces la hipótesis de que existía un poliedro único para cada planeta, siendo un poliedro "un sólido delimitado por caras planas, segmentos de líneas rectas y aristas curvas". Estos poliedros serían el marco de cada órbita planetaria y determinarían su velocidad de movimiento. Creía que todos los planetas se movían en un movimiento circular como una cuerda de violín, con el sol como violinista.

Otra observación que hizo Kepler fue que las órbitas de los planetas y sus relaciones proporcionales eran similares a la forma de ordenar los pentagramas. El pentagrama se dibuja uniendo los puntos de un pentágono (polígono de cinco lados). En 1611, Kepler publicó otra obra llamada *"Harmonices Mundi"*, en la que describía sus descubrimientos utilizando este símbolo. Dijo:

"Las órbitas planetarias no son circulares como nos parecen; son alargadas por un lado como un hexágono... Como cada banda mide

160 millones de kilómetros, forma un ángulo con un diámetro de un gr"do".

Ni que decir tiene que el trabajo de Kepler fue recibido con gran escepticismo por la comunidad científica. Muchos de sus compañeros dudaban de la idea de que hubiera alguna conexión entre los planetas y números como el cinco. El propio Kepler luchó en su intento de convencer a los demás de sus ideas. En su obra fina", "De Stella N"va", escrib"ó

"Las propiedades de los cielos las he descubierto mediante figuras geométricas que, sin embargo, tienen su fundamento en la realidad y han sido confirmadas a través de mis observaciones. Estas propiedades son que son numéricas, y esta propiedad numérica puede derivarse de la estructura del ciel".

"He demostrado matemáticamente a través de la teoría de la música que ciertas figuras regulares -acordes- no son solo armonía; que también son una expresión ideal de la estructura del cielo esférico y sus movimientos. De estos acordes depende la música de las esferas que escuchamos en nuestros aires terrestres, he descubierto una regla matemática universal. Se trata de esta regla, según la cual todas las armonías celestes pueden deducirse matemáticamente de las armónicas simp"es".

Este pasaje es bastante revelador, ya que Kepler conectó directamente los números y la geometría a nivel universal. Se podría decir que descubrió un sistema -aplicable a todos los cuerpos celestes- que conecta entre sí la geometría y la música. Este sistema subyace al movimiento de los planetas y los mantiene en armonía entre sí.

Kepler pasó muchos años de su vida perfeccionando este sistema universal que se expresa matemáticamente a través de figuras geométricas, música y pentagramas. Llegó a creer que esta información estaba escrita en el código de Dios y que también estaba codificada en el hombre. En conclusión, se nos enseña a pensar en las matemáticas como algo separado de nosotros. Sin embargo, el número tres tiene una cualidad espacial única. Se puede imaginar como un objeto con longitud y anchura, aunque no tenga dimensiones reales. El trabajo de Kepler ayudó a mucha gente a pensar en los números de forma diferente, y sus implicaciones merecen ser exploradas.

Capítulo 2: Geometría sagrada y numerología

Para comprender la naturaleza de los números, debemos saber qué representan. Nikola Tesla dijo que nuestras vidas est"n *"gobernadas por fuerzas que están más allá del alcance de nuestra comprens"ón"* y que estas fuerzas afectan a todo, incluidas las matemáticas.

Los efectos de los números pueden verse en todos los descubrimientos e inventos científicos, en las religiones y los cultos, e incluso en la sociedad actual. Desde las antiguas matemáticas egipcias hasta la numerología medieval, desde la geometría pitagórica hasta la famosa teoría de los triángulos de Platón, estamos rodeados de pruebas de por qué es importante entender un poco cómo funciona el mundo. Los números tienen un significado profundo que se refleja en gran medida en el mundo que nos rodea.

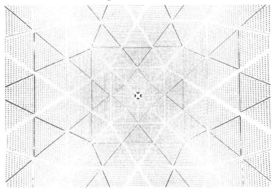

Numerología

La numerología es el estudio de los números y los significados que hay detrás de ellos. Es un poco como la metafísica y la ingeniería. Trata de comprender mejor la estructura de la realidad en general explorando los patrones naturales dentro de los sistemas vivos individuales.

Existe un número infinito de lecturas potenciales de una carta numerológica porque cada persona posee una combinación diferente de rasgos y tendencias que se superponen numéricamente de una manera u otra. Nuestras vidas ya han sido planificadas para nosotros por el destino mucho antes de que viniéramos a este mundo, por lo que, según la numerología, nuestro futuro podría alterarse si tan solo se nos diera la oportunidad de conocer cuál puede ser nuestro destino antes de que se convierta en algo inamovible.

Una lectura numerológica puede ser un ejercicio muy revelador de autodescubrimiento, y los practicantes de la Numerología suelen descubrir que cuanto más abiertos sean con sus preguntas, más precisas serán sus respuestas. Sea cual sea la circunstancia, muchas personas que consultan a los numerólogos en busca de consejo sobre el amor, las perspectivas de trabajo e incluso los problemas de salud, descubren que sus preocupaciones se resuelven en gran medida al conocer la cantidad "e "sue"te" que hay actualmente en su dirección.

A continuación, se exponen algunos de los principales principios de la numerología. Aunque estos principios pueden resultar obvios para muchos lectores, es fácil no darse cuenta de todas las formas en que se aplican a nuestras vidas porque son muy sutiles a primera vista.

1. Los números son una forma de comunicarse con Dios y de que Él se comunique con nosotros.

2. Los números son elementos eternos y omnipresentes de la realidad. Se encuentran en la estructura de todo, desde los átomos hasta las moléculas, los mundos, las galaxias e incluso los universos. Todos los lugares en los que ha estado en esta Tierra están afectados por su carta numerológica.

3. Cada número tiene un significado específico. El número 2 podría relacionarse con la hermandad, la dualidad, la comunidad y la armonía, mientras que el número 5 podría

relacionarse con el cambio, los viajes, la libertad y la aventura. Esto es un hecho que no puede ser negado ni discutido por nadie. Todas las personas tendrán estos rasgos en cierta medida porque es esencial para nuestra supervivencia como seres humanos y está codificado en nosotros por la propia naturaleza.

4. Los números son únicos en función de cómo aparezcan en su carta numerológica antes de sumar cada dígito individual y dividirlo por la suma de todos los dígitos de la carta. Representan el "verdadero" número que parecen ser cuando se suman. Si un número es 3, parece ser 3, pero hay un cuarto dígito oculto que se ha reservado para usted. Este resulta ser un 0 cuando se suman todos.

5. Suponga que un dígito individual en su carta (como el número 9) está presente en dos lugares diferentes dentro de su carta numerológica. En ese caso, solo puede significar una cosa porque el significado de lo que representa no puede cambiar una vez que se conoce.

Los orígenes de los números

Los orígenes reales de los números son imposibles de rastrear a lo largo de los años, pero, curiosamente, parece existir un vínculo entre las matemáticas y nuestros antepasados más primitivos. Se cree que la capacidad de los humanos de pensar de forma abstracta en cuestiones cuantitativas nos ha permitido formar sociedades en constante evolución desde la prehistoria. Durante esta época, los humanos utilizaban el conteo como una forma de obtener ventaja sobre sus enemigos en la caza y la guerra. Sin embargo, esto no significaba que fueran matemáticos todavía. El hombre primitivo solo utilizaba la numerología de forma instintiva.

Los primeros registros escritos conocidos de los números se encuentran en las paredes egipcias, que datan del 3200 a. C. Los egipcios creían en la geometría sagrada, un concepto que hace pensar que los números que utilizaban tenían un significado divino detrás. Desde el simbolismo de los números hasta la adivinación, la Numerología está fuertemente vinculada a todos los aspectos de la vida, y podemos ver por qué es importante que tengamos una comprensión suficiente de lo que representan. Si no somos conscientes de lo que significan los números para nuestras vidas, entonces, en esencia, estamos siguiendo a ciegas algo que está completamente fuera de nuestro control, algo que ni siquiera la ciencia puede explicar todavía.

La geometría sagrada expresada en números

Se puede decir que los números son fundamentales para lo que somos. En palabras del físico Michio Kaku, "*Los números son el lenguaje de la realidad. Y las matemáticas son el lenguaje de Dios*". Añade que las matemáticas se utilizaron por primera vez para "*contar y describir el tiempo, el espacio y el movimiento*", pero desde entonces se han aplicado a todo, desde la música, la arquitectura y la literatura hasta el arte, la biología y la psicología.

Se puede decir que los números están entretejidos en lo que somos, así como en nuestro planeta. Los números son fundamentales en nuestras células, que controlan todo, desde la química del cerebro hasta cómo respiramos y nos movemos. Según el matemático Raymond Loomis, las células muestran una geometría fractal, que también se refleja en la disposición de nuestros cuerpos.

La física cuántica también apunta a los números fundamentales al observar el equilibrio ajustado de la naturaleza en los fenómenos, incluidos el ADN y el número de partículas elementales del universo.

No hay coincidencias: Todo está interconectado, solo que no necesitamos las matemáticas para que esto ocurra. Podemos ver que ocurre a nuestro alrededor. La geometría de los números juega aquí un papel clave, y ahí es donde entra la geometría sagrada.

3, 6, 9

Los números 3, 6 y 9 se encuentran en todo el mundo de diversas maneras. Sin embargo, siempre han tenido un lugar especial en la geometría sagrada. A pesar de que se observan en símbolos religiosos o como partes de estructuras antiguas, la creencia más común sobre estos números es que representan al "Padre, el Hijo y el Espíritu Santo" del cristianismo. Sin embargo, hay mucho más en estos números de lo que inicialmente parece.

Además del 3, el 6 y el 9, hay un cuarto número que se ha relacionado con estos tres, y es el 4. El 4 es un número primo, al igual que los otros tres números, pero resulta que también representa la combinación Padre-Madre-Hijo en una sola entidad. Otro atributo importante de este número es que es el primer número perfecto (siempre contando desde el 1). Por eso vemos a menudo el 4 solo en la arquitectura o como parte de monumentos.

Los números 3, 6 y 9 son muy significativos en el campo de la ciencia, especialmente en el de las matemáticas. Nikola Tesla fue un brillante inventor que introdujo muchos conceptos revolucionarios en la electricidad e influyó en la forma en que la utilizamos hoy en día. También creía en la Numerología y en su significado a lo largo de nuestra vida, estando particularmente obsesionado con los números 3,6,9 hasta su fallecimiento. Teniendo en cuenta el significado de estos números en particular, definitivamente lo entendemos ahora. Estos números divinos parecen aparecer en diversos ámbitos de la vida como la astrología, la ciencia, la religión, la naturaleza, etc.

Un matemático siempre mira los números de forma lógica y práctica. Sin embargo, el místico cree que la Numerología puede predecir el futuro. La numerología ha sido utilizada por muchas culturas antiguas en la adivinación, como Roma y Grecia. Hoy en día, sigue siendo una creencia popular que la Numerología puede ayudar a predecir su futuro o incluso guiarle para que se enamore de la persona adecuada. Es posible contemplar la Numerología desde una perspectiva científica porque los números se consideran parte de la naturaleza, al igual que las figuras geométricas pueden considerarse también naturales.

La numerología está vinculada a la fuente creativa de energía divina que también actúa en la geometría sagrada. Esta misma energía está presente en todas las cosas, desde la estructura de los átomos hasta el diseño natural de las plantas y los animales. La creatividad humana tiene un elemento de esta energía divina en sí misma y puede ilustrar los aspectos divinos a través de sus patrones no aleatorios.

Hay muchas otras formas de expresar la geometría sagrada mediante números, símbolos y música. Vivimos en un universo donde todo está interconectado por patrones y estructuras invisibles que existen más allá de nuestro mundo físico. La increíble sabiduría de los antiguos ha encontrado una forma de expresar cómo estos patrones invisibles afectan al viaje de la vida en este plano físico.

Esta sabiduría se nos ha transmitido para que podamos entender por qué ciertas verdades espirituales sobre el viaje de la vida solo pueden expresarse a través de las matemáticas y la geometría. Las antiguas culturas que utilizaban la geometría sagrada daban reglas matemáticas para comprender el universo que nos rodea. Utilizaron sus conocimientos de trigonometría esférica, relaciones y proporciones para crear diseños que tuvieran un valor universal.

Podemos ver en el corazón y el alma del viaje de la vida a través de la geometría sagrada y comprender por qué los números, los símbolos y la música tienen tanto poder. Los grandes maestros dejaron sabiduría a su paso para que pudiéramos aprender a experimentar la victoria sobre el miedo y encontrar nuestro verdadero propósito en la vida.

La proporción áurea

En la era digital de los ordenadores e Internet, mucha gente no ha aprendido nunca sobre las secuencias de Fibonacci, la proporción áurea y su conexión con la geometría sagrada.

La secuencia de Fibonacci es la secuencia de números que comienza con 0, 1, 1, 2, 3... Es un patrón que se encuentra en todas partes en la naturaleza, desde las flores hasta las conchas marinas. Se puede ver en las hojas del pino y en los pétalos de una rosa. De hecho, en su libro "Sobre los números", el propio Fibonacci describió la secuencia como "la naturaleza misma de las cosas".

¿Por qué se relaciona esta secuencia con la geometría sagrada? La clave está en la serie. Los tres primeros números de la secuencia están relacionados con una sencilla fórmula conocida como Pi, que es importante para entender la geometría sagrada. La fórmula fue descubierta por el antiguo matemático griego Arquímedes, que la utilizó para calcular la distancia del Sol.

El tema de Pi y la geometría sagrada es más complejo de lo que puede ofrecer un solo libro. He aquí una explicación sencilla: Pi se calcula a partir de la circunferencia de un círculo y su diámetro, que son dos medidas sencillas relacionadas con la Proporción Áurea.

En la geometría sagrada, esta secuencia de números puede interpretarse como Pi y la base de todas las formas. La Proporción Áurea se encuentra en toda la naturaleza, pero sobre todo en el cuerpo humano y en los patrones de otros organismos vivos. La proporción áurea es lo que da a las flores su belleza, al cuerpo humano su forma y a la Venus de Milo su perfección.

Números primos y la secuencia de Fibonacci

Un número primo es cualquier número entero mayor que uno que solo puede dividirse por sí mismo y por 1. Hay una cantidad infinita de ellos porque nunca se crean como un cociente o fracción, sino que pueden multiplicarse juntos para crear otros números. Además, los números primos tienen una propiedad única por la que la suma de dos primos consecutivos siempre producirá un nuevo número primo cuando se eleva al cuadrado: $3 + 5 = 8$, $17 + 19 = 36$.

El patrón matemático más famoso de los números primos se conoce como la "secuencia de Fibonacci". Se basa en la suma de una serie de números primos consecutivos utilizados para crear cada nuevo número de la secuencia: 0, 1, 1, 2, 3, 5, 8, 13, 21, 34, 55, 89, 144, 233, 377, 610, 987, 1597, 2584, 4181... Las proporciones entre estos números se acercan a medida que aumentan.

Hay propiedades interesantes en la secuencia que no son inmediatamente aparentes. Por ejemplo, divida la suma de los números adyacentes de la secuencia (excluyendo los dos primeros números). Obtendrá 1,618, que se conoce como "La proporción áurea". Esta proporción está en todas partes en la naturaleza, la arquitectura y el diseño, pero se encuentra de forma más notable en la espiral de una concha marina. Esta secuencia numérica también caracteriza las proporciones humanas y tiene muchas aplicaciones científicas beneficiosas.

La construcción de monumentos sagrados en todo el mundo muestra un patrón similar (la pirámide de Giza y el Partenón en Grecia), lo que lleva a la conclusión de que pueden haber sido construidos por una antigua cultura global. Esta cultura no tenía un lenguaje escrito, pero lo más probable es que estuviera compuesta por un pequeño grupo de personas muy inteligentes y con conocimientos matemáticos. Fueron capaces de construir monumentos extremadamente sofisticados como la pirámide de Giza, que estaba formada por una impresionante serie de hazañas constructivas como alinear su base con los puntos cardinales de la brújula y construir una estructura de tres lados que estaba perfectamente alineada con el norte verdadero. También es una de las pocas estructuras que quedan en la Tierra que el hombre no ha alterado significativamente con el paso del tiempo

Parece haber otro patrón dentro de la secuencia que es aun más profundo. El primer número de la secuencia (1) indica que siempre es el primer número de un ciclo. Esto puede verse dividiendo los números de Fibonacci entre sí y obteniendo cada vez 1,618.

La secuencia de Fibonacci es uno de los temas matemáticos más importantes que existen. El universo y todos los cuerpos celestes, son esféricos, y la superficie de una esfera puede dividirse en 360 grados. Un círculo se divide trazando un arco desde el centro del círculo a 90 grados de su radio, lo que lleva a 360 grados de nuevo. El 21 es un número sagrado que representa a Dios (7/8) y, curiosamente, se necesitan 21 arcos formados en un círculo para volver al punto de partida.

La secuencia de Fibonacci y la geometría sagrada son fáciles de encontrar en la arquitectura. Esto se debe a que el ojo puede reconocer y ver los patrones mucho más fácilmente cuando están físicamente presentes. Sin embargo, la secuencia de Fibonacci puede encontrarse en la naturaleza, especialmente en la disposición de las hojas de las plantas y en la forma en que crecen algunos animales como las vacas y los conejos. Otros lugares incluyen varias cabezas de semillas, ramas de árboles, huracanes, conchas marinas, galaxias en espiral, moléculas de ADN, etc.

¿Ha observado alguna vez la secuencia de Fibonacci en su entorno? Por ejemplo, ¿el patrón de las hojas de un árbol? ¿La forma en que se forman las semillas en la cabeza de una flor? Nuestro cerebro está programado para notar patrones y hacer conexiones. Lo hagamos a propósito o no, estas tendencias pueden ayudarnos a aprender cosas nuevas sobre nuestro mundo. La presencia de esta secuencia milagrosa no es tan obvia como otros fenómenos naturales, pero aun así hay varias formas de observarla. Si está dispuesto a mirar con atención, empezará a aparecer en su vida cotidiana. Notar estos patrones le ayudará a aprender sobre el mundo natural que le rodea y le proporcionará una sensación de unidad y confort en la unidad de la creación. Así pues, mire a su alrededor y preste mucha atención.

Capítulo 3: Símbolos simples pero sagrados

En geometría, utilizamos los números para identificar y mostrar las formas. La gente utiliza con frecuencia las palabras "cuadrado" y "triángulo", pero no sabe que son los nombres de los números. El número de una forma también se llama su "lado". Por ejemplo, un triángulo tiene 3 lados y se simboliza -por tanto- con el número 3. Un cuadrado tiene 4 lados y se simboliza con el número 4.

Hay muchas más formas, como los pentágonos y los hexágonos, cada una con su propio equivalente numérico y es interesante que los números puedan ser conceptualizados geométricamente. Este capítulo está dedicado a examinar los números del 1 al 9 y su forma geométrica sagrada asociada.

Uno: el círculo

El número uno suele ser un símbolo circular que representa muchas cosas, como el sol y la luna, que orbitan alrededor de la Tierra. El número uno también simboliza la perfección o la unidad, representando cómo todo está conectado. Muchos otros patrones de la naturaleza están representados por este número, desde cómo aparece el arco iris en el cielo hasta cómo nuestro cuerpo tiene 365 huesos.

En el simbolismo mágico, el círculo suele considerarse un símbolo de poder y protección contra la negatividad. El arco circular del número uno se utiliza a menudo para representar el sol y su ciclo de renovación. Mucha gente lo ve como una representación de la vida, que viene de la Tierra y se eleva en el aire. En los hechizos mágicos, la magia del círculo se utiliza para la protección o el poder. También se utiliza para abrir portales entre mundos antes de entrar en nuevos reinos. La magia de círculo se utiliza a menudo para crear poder en hechizos, rituales e invocaciones.

El número uno se utiliza a menudo para representar el sol, el fuego, el aire y el sur en una brújula. También simboliza la energía masculina o el principio de dios porque irradia hacia el exterior. Rara vez se ve como una fuerza negativa, pero a veces se asocia con la cesión de su control sobre algo. El uno es un número finito que nunca puede alcanzar el infinito. También representa los comienzos o el nacimiento. En astrología, este número significa Aries o Leo como su elemento. También simboliza la identidad del ego porque usted es único respecto a todos los demás en la tierra.

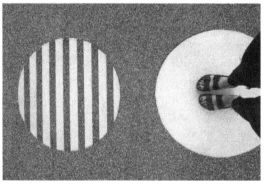

Dos: La Vesica Piscis

La Vesica Piscis es el nombre del número 2, y es un símbolo del útero. Se puede encontrar esta forma en la naturaleza como dos bulbos de una planta que se unen en sus puntos de floración para crear la forma de una pera. Muchos otros símbolos representan esta forma (como dos peces), pero quizá ninguno más que el Yin y el Yang, que comienzan como dos círculos en lados opuestos de un eje, y que finalmente se encuentran en el centro, donde sus formas se funden en un solo círculo.

Algunos dicen que la Vesica Piscis significa equilibrio, armonía y totalidad. También es un símbolo importante en la geometría clásica, en la que representa el número 2 y se considera una extensión del cuadrado. El círculo, símbolo de la divinidad, se convierte en bidimensional al crear esta forma. Este símbolo se utilizaba a menudo en el centro de una cruz. Los brazos verticales y horizontales representan el inicio y el final de la vida de un individuo. Simboliza que esta persona pasó por la vida como un ser físico (la línea vertical), llevando su cuerpo hacia la divinidad a través de la iluminación espiritual (la línea horizontal).

La Vesica Piscis se ha utilizado como símbolo de la divinidad femenina durante mucho tiempo. De hecho, a lo largo de la historia se contaron muchas historias diferentes que se referían a este símbolo como representación de Venus. También se le llamaba la Casa de Venus porque representaba el útero. Algunas personas creen que este símbolo es incluso anterior al cristianismo y que representa a la diosa madre original antes de que fuera finalmente eclipsada por la más popular Virgen María y algunas de las principales diosas de la mitología griega y romana. En el continente asiático, el símbolo de Vesica Piscis tiene un significado ligeramente similar, ya que representa la fertilidad, pero también el agua. Este símbolo también se ha relacionado con la luna y a veces se utiliza como talismán que ayuda a alcanzar estados superiores en la meditación.

Tres: El triángulo

El triángulo simboliza muchos aspectos de la vida y está representado por el número 3. Es un símbolo de la Tierra y del agua y también se considera un talismán espiritual que representa la protección.

El triángulo representa la trinidad en las tradiciones cristianas y es una representación equilátera de la energía masculina. En el catolicismo, el triángulo simboliza al Padre, al Hijo y al Espíritu Santo. El triángulo es también un símbolo del alma y se utiliza en muchas religiones para representar el tercer ojo o el vínculo entre tres personas.

El número 3 ocupa un lugar importante en muchas culturas y tradiciones religiosas. Los hindúes suelen atribuir la creación del universo a sus tres deidades, Brahma, Vishnu y Shiva. Algunas tradiciones wiccanas reconocen a tres dioses. Asimismo, en las tradiciones nórdicas, hay tres dioses principales: Odín, Thor y Freyr.

Ya que el Universo, según los platónicos y pitagóricos, es un ser vivo hecho de triángulos. El triángulo representa no solo los tres principios que tiene el ser humano en su naturaleza (alma, corazón, espíritu), sino también los principios cósmicos. Por eso lo encontramos en la representación de trinidades (dioses) entre estrellas y planetas (Saturno). El triángulo se considera una forma poderosa que encierra en sí misma la idea de equilibrio o igualdad: cuando tenemos 3 conjuntos o 3 ángulos que se reúnen en un punto de forma triangular, no hay lados mejores o peores. Las relaciones entre los tres conjuntos de esta forma nos dan individualidad, pero también fuerza a través de la unidad.

El triángulo puede encontrarse en la naturaleza en muchas formas diferentes, como las montañas, las orillas de los lagos y los deltas de los ríos. En la forma de un triángulo, los ríos fluyen hacia el océano y crean formaciones de deltas que encierran una promesa de nuevo crecimiento y renacimiento. Las cordilleras simbolizan la fuerza y la resistencia, manteniéndose firmes durante siglos; cuando miramos una cordillera desde arriba, se asemeja a la forma de una flecha que apunta hacia el progreso o el infinito. Las cascadas forman una forma triangular cuando bajan por las montañas y desembocan en los ríos, simbolizando el comienzo de la vida, la renovación y el renacimiento.

El triángulo es conocido desde hace mucho tiempo como un símbolo místico de poder, razón por la cual el triángulo se encuentra más comúnmente en o cerca de la parte posterior de los amuletos o colgantes. El simbolismo del triángulo no se limita solo a las tres esquinas, sino que se extiende también a los bordes. Los bordes superior e inferior de un triángulo suelen representar a los ángeles o guías espirituales y se dice que traen energía positiva, mientras que los bordes derecho e izquierdo de un triángulo representan a los demonios o espíritus malignos que traen energías negativas. La gente lleva el triángulo no solo por la protección que puede proporcionar, sino también por su capacidad de atraer fuerzas espirituales positivas que pueden ayudar a quien lo lleva a alejar las malas intenciones.

Aunque hay muchas opiniones diferentes sobre el significado del triángulo, una cosa sigue siendo cierta: el triángulo es una forma poderosa que encierra una gran cantidad de simbolismo y poder. La próxima vez que vea un triángulo, piense en lo que representa y en cómo puede ayudarle a conseguir el equilibrio en la vida.

Cuatro: El cuadrado

El cuadrado es un número importante en el estudio de los patrones geométricos y a menudo se representa con el número 4 porque está formado por cuatro líneas que se encuentran en ángulo recto. El número 4 es un número fundamental en el estudio de los números sagrados y los patrones naturales. Se dice que los cuatro elementos clásicos -tierra, aire, fuego y agua- fueron creados por Dios de esta manera. En las matemáticas pitagóricas, el cuadrado se considera un símbolo ideal de perfección. También era un símbolo que describía la naturaleza del universo como una creación perfecta.

Una forma diferente del símbolo se ve a menudo en las pirámides originales y otras estructuras antiguas. Se llama "tetraedro" y representa la cuarta dimensión. También puede verse como un "vórtice de energía" que no tiene principio ni fin, un símbolo del infinito. El símbolo del cuadrado se ha utilizado durante mucho tiempo como parte del estudio astrológico porque representa ciertos principios asociados a las energías terrestres.

El símbolo también parece haber sido utilizado por las sociedades masónicas para representar su sistema de creencias y su práctica de culto. En el folclore, las brujas suelen utilizar los cuadrados para atrapar a sus víctimas o para protegerse de los espíritus malignos y de la magia negativa. También se dibujan con frecuencia en amuletos o talismanes mágicos que alejan las influencias malignas y les ayudan a controlar su entorno.

Otra forma del cuadrado que se ha visto en las estructuras antiguas se llama "los cuatro vientos". Los puntos cardinales este y oeste están relacionados con los solsticios y equinoccios. El este y el sur se reconocen como energía creativa y femenina. Los puntos cardinales norte y sur representan el "Ave María" o eje horizontal de la tierra, que es atravesado por los seres humanos que deben vivir en armonía y equilibrio. Este punto también representa un periodo de transición en el que las culturas cambian con el tiempo.

En numerología, debido a su asociación con el número cuatro, el cuadrado simboliza aspectos como la estabilidad, la firmeza y la practicidad. Estas características también pueden atribuirse al número 4 porque es un número estable y sólido. Esto significa que está formado por cuatro cuadrados idénticos, lo que sitúa al número 4 en la categoría de los números mágicos variados.

El cuadrado también tiene un significado espiritual. Representa el equilibrio: estar espiritualmente equilibrado en todos los aspectos de su vida. Tener una base espiritual limpia que ha definido para sí mismo a través de sus creencias personales le permite mantener los pies en el suelo cuando se enfrenta a situaciones que requieren un análisis reflexivo, un comportamiento con tacto o una planificación cuidadosa. Esto puede ayudarle a tomar decisiones razonables, especialmente cuando trata con personas difíciles o cuando intenta evitar perder los nervios ante una provocación. Una sólida base espiritual le ayuda a mantener la calma y la concentración, incluso en momentos de tensión.

En resumen, los cuadrados son formas geométricas muy poderosas que pueden influir en nosotros de muchas maneras. Pueden asociarse a una serie de cosas diferentes, como la estabilidad, la practicidad y el orden, todos ellos rasgos deseables en la vida cotidiana. Representan los cuatro elementos, el crecimiento y la espiritualidad, atributos positivos que todos deberíamos intentar incorporar a nuestras vidas en la medida de lo posible.

Cinco: El pentágono

El pentágono, simbolizado por el número 5, es una figura geométrica formada por cinco triángulos equiláteros entrelazados que comparten vértices con tres lados cada uno. Otros patrones que aparecen en la naturaleza o símbolos mágicos que comparten esta forma son los pétalos de una flor, las hojas de una planta y dos pentagramas opuestos.

Un pentágono puede inscribirse en un hexágono irregular y tiene un 50% de simetría. Además de su atractivo estético, también está relacionado con muchos otros patrones de la naturaleza y símbolos místicos debido a su construcción simétrica. El cinco es también un número de lo divino, especialmente cuando se combina con el número siete. Además, el número 5 es el primer número primo impar, y los primos suelen considerarse mágicos.

Las cinco puntas del pentágono están todas a igual distancia del punto central y forman una forma de estrella alrededor de este. La simetría de esta forma es lo que le da su belleza, lo que hace que se utilice habitualmente en la arquitectura y los edificios. Es un ejemplo de forma optimizada para su uso en la construcción debido a su baja relación perímetro-área.

El número cinco se asocia con la divinidad y la perfección. Es el número de la protección, la meditación y los nuevos comienzos. La forma de pentágono es un símbolo de equilibrio y armonía, aunque también puede ser un instrumento de caos si se utiliza mal. Al ser uno de los sólidos platónicos y uno de los sólidos pitagóricos, se ha asociado a la geometría sagrada porque cada lado representa la figura de un elemento diferente: tierra (abajo), agua (lado que apunta hacia abajo), aire (lado del ángulo derecho), fuego (arriba) y cielo (lado del ángulo izquierdo).

Seis: El hexágono

El hexágono ha sido un patrón importante a lo largo de la historia de la humanidad porque puede utilizarse para representar muchos conceptos como la protección, el equilibrio, el orden y la culminación. Estos son importantes porque la naturaleza humana busca estas cosas en la vida.

El hexágono es otra forma geométrica, como el triángulo equilátero y el círculo, que ha sido muy utilizada a lo largo de la historia por su capacidad para vincularse con otras formas y representar conceptos. El hexágono, aunque parezca "nuevo", es en realidad uno de los símbolos más antiguos utilizados por la humanidad. Solo recientemente hemos utilizado el símbolo para las matemáticas y la geometría, siendo el símbolo representado por el número 6.

El hexágono puede ser una barrera, por lo que se ha utilizado para representar la protección. Se pensaba que los hexagramas protegían de los espíritus malignos. El símbolo fue muy utilizado para la protección durante la Edad Media. También fue utilizado por los nativos americanos como signo de protección. Al ser natural, no hace falta decir que su significado subyacente de protección y orden tiene sentido para los humanos y debería ser un concepto fácil de entender independientemente de la época o la cultura.

En la antigüedad, estos significados estaban vinculados al número 6 y a su divinidad en los cielos. Tanto nuestros antepasados como los dioses querían un equilibrio entre el hombre y la naturaleza, como se puede ver en los mitos sobre Zeus, Odín, etc. Los griegos creían que encarnar como un círculo era tener un cuerpo inmortal, pero encarnar como un hexágono es vivir para siempre al tener un alma eterna. Ambos logran un equilibrio que es importante para la vida en la tierra.

Se cree que los hexágonos se utilizaron para formar cientos de átomos que se dice que son los bloques de construcción del universo. Probablemente por eso los hexágonos se encuentran en los panales de abejas, ya que son los arquitectos de la naturaleza. La razón por la que los hexágonos son tan importantes en la vida puede tener algo que ver con el hecho de que aparezcan en la naturaleza mucho más que otras formas. Podría ser que los hexágonos son los más estables de todas las formas, y por eso los panales de las abejas están hechos de ellos y por eso otros animales, desde los castores hasta los pájaros, construyen sus nidos con hexágonos. Dado que aparecen tanto en la naturaleza, parece natural que los utilicemos también en nuestras vidas.

Siete: El heptágono

El heptágono es un símbolo que representa el equilibrio perfecto entre los siete planetas. Es una figura geométrica que aparece en muchas formas, desde los mandalas hasta los copos de nieve, y es el polígono más simple que puede representar el número siete.

En las religiones orientales, el heptágono simboliza la armonía cósmica y es importante en la geometría sagrada, donde se encuentra como heptaedro. También aparece en muchas culturas diferentes; por ejemplo, el hogar tradicional de los aborígenes australianos tiene 7 aberturas para equilibrar las cuatro direcciones cardinales con sus otras dos direcciones "intercardinales". En el hinduismo, las 7 montañas se utilizaban para atar al hombre antes de su caída en el pecado, mientras que el cristianismo lo considera como una representación de la plenitud y la perfección espirituales. Los chinos también lo consideran como una representación de la perfección, ya que está formado por dos triángulos, uno que representa el Yin y el otro el Yang.

En el hinduismo hay siete joyas que representan los siete chakras. También hay 7 planetas sagrados y 7 días de la Creación en el Génesis. Hay muchas supersticiones con respecto a este número, así como cosas que se le atribuyen, como ser afortunado o desafortunado, dependiendo de lo que se le asigne. Por ejemplo, en la fe judía, hay 7 días de luto después de un funeral, y los invitados a una boda no se van hasta el séptimo día. En la cultura china, existe una pulsera especial llamada "pulsera de las siete estrellas", que se ata con 7 nudos y representa las siete estrellas de la Osa Mayor.

El heptágono también puede verse en la naturaleza y se encuentra en cristales como el cuarzo, que contiene 7 caras. También está relacionado con la secuencia de Fibonacci. En particular, la proporción áurea o proporción geométrica (alrededor de 1,618) se deriva del heptágono.

Hay muchas otras formas que utilizan el heptágono para simbolizar diferentes cosas, pero todas tienen una cosa en común: se utilizan para equilibrar la cuenta de números de un objeto con el siguiente, como en un dado de dos caras.

El número 7 se utiliza para representar el equilibrio espiritual y la culminación por la mayoría de las culturas de todo el mundo, ya que se basa en formas geométricas que se han encontrado en toda la naturaleza. Varias religiones dan un giro diferente a lo que creen que significa esta cifra, pero todas coinciden en que tiene un significado entre su comunidad y que, de alguna manera, afecta a sus vidas. Aparte de su significado religioso, el heptágono también puede encontrarse en nuestra vida cotidiana, como en los siete mares, los siete colores de un arco iris, y hay muchos más casos en los que el siete es significativo. Se ve en la mayoría de las cosas, además de ser un símbolo matemático que representa el equilibrio, la armonía y la culminación. Es una cifra que ha tenido muchos significados diferentes a lo largo de la historia y se sigue utilizando hoy en día debido a su significado allí donde se encuentra.

El ocho: El octógono

Octógono es una palabra que proviene del griego "octagōgos", que significa "ángulo de ocho". El octógono es una forma de ocho lados que puede dibujarse con lados rectos como dos triángulos equiláteros unidos. Se acepta como una de las formas geométricas más perfectas y se ha encontrado que data de la antigüedad. Los octógonos se utilizan en muchos campos, como la arquitectura, el arte, la geometría, las ventanas de las iglesias, los patrones de las baldosas y los suelos.

El octógono es una figura cuya forma refleja el patrón del núcleo atómico. Un prisma octogonal con dos átomos de hidrógeno, carbono u otros átomos en sus esquinas formará cuatro enlaces con otros átomos para crear ocho enlaces simples (que permiten la rotación) y un enlace doble a lo largo de su eje entre las esquinas opuestas.

El octógono ha sido considerado durante mucho tiempo una forma muy especial en la tradición hindú. El templo de Sringeri, en el sur de la India, es un ejemplo famoso del uso del octógono para la disposición, diseñado para imitar la dirección del flujo de energía tal y como se describe en los textos sagrados hindúes. La ciudad sagrada de La Meca es otro ejemplo de diseño octogonal. Es la ciudad más sagrada del islam y se encuentra en el centro de la Tierra. En la mitología griega, el templo octogonal del carro es un lugar sagrado dedicado al dios griego Hefesto. Se dice que el dios lo construyó él mismo.

Las formas octogonales reflejan muchos otros fenómenos de la naturaleza, como los cristales, las espirales y la formación de las estrellas. Los patrones de estrellas de ocho puntas han sido utilizados durante muchos años por quienes practican la brujería para adivinar tesoros y riquezas. Se consideran símbolos que representan una presencia divina que guía a los humanos en sus viajes por la vida. El octógono es un símbolo de vida, renacimiento y ascensión.

Nueve: El nonágono

Un nonágono es un polígono con nueve lados. Mucha gente dice que representa la terminación o la perfección porque tiene todos sus aspectos: uno encima de otro, cada uno girado en incrementos de 90° alrededor del punto central. La similitud entre la forma y la figura humana la convirtió en un símbolo importante a lo largo de la historia. Se pensaba que representaba a un hombre con los brazos extendidos, como si estuviera rezando o haciendo una ofrenda. Los antiguos griegos lo utilizaban para representar a su dios Apolo, mientras que los cristianos lo usaban para simbolizar el amor de Dios por la humanidad.

El número 9 también puede asociarse con el misticismo porque es considerado sagrado por muchas culturas del mundo. En la India, por ejemplo, consideran que el 9 es un número poderoso que trae buena suerte cuando sale en la lotería o como número en ciertas prendas de vestir. En muchas tribus africanas, se cree que el número 9 contiene poderes sobrenaturales que pueden dotar de valentía y fuerza a las personas que lo poseen.

El término "nonágono" surgió gracias al trabajo del matemático suizo Leonhard Euler. Publicó un artículo en el que aparecían muchas formas con simetría no agonal, una de las cuales era la estrella de nueve puntas (tetraedro). Esto fue lo que inició la investigación de estas formas en 1651 por parte de Michel Chasles, que la utilizó como base para sus investigaciones en áreas como la geometría sagrada, la física y la estadística.

Como muchos de los símbolos que existen, su significado queda en manos de la persona que lo interpreta. Aunque muchos se dibujaron como símbolos arcanos y se asociaron con el misticismo y la brujería, también se han utilizado en muchos ámbitos de la vida: la muerte, el amor, la paz y la meditación. En numerología, es un número que simboliza la culminación humana.

Capítulo 4: Los sólidos platónicos y los elementos

Los sólidos platónicos son formas tridimensionales que se encuentran en la geometría. Se consideran formas cósmicas porque se encuentran en el orden y el diseño del universo, como el átomo, el sistema solar y las galaxias. Todos los sólidos platónicos tienen longitudes de aristas iguales y ángulos entre caras que no superan los 180 grados. Para hallar su medida, tenemos que dividir sus aristas con la raíz cuadrada de la suma de sus aristas.

Los sólidos platónicos en la vida

Los sólidos platónicos son importantes para las matemáticas, la ciencia y la filosofía porque forman un sistema estable y consistente de un tamaño o forma universal. Cada sólido platónico está formado por una base y una cara, como un tetraedro. Estas formas se encuentran por todas partes en la naturaleza. Las encontramos en el átomo, en el sistema solar y en las galaxias, prácticamente en todos los sólidos que se pueden trazar sin huecos ni errores, a la vez que están perfectamente equilibrados y son matemáticamente precisos. En las matemáticas, la ciencia y la filosofía, los sólidos platónicos se utilizan para probar la existencia de fuerzas como la gravedad, el electromagnetismo y la conservación de la materia, y eso proporciona aun más pruebas de que hubo un diseñador que lo creó todo.

Los átomos en sí están formados por protones, neutrones y electrones que actúan como el núcleo que compone la estructura. Los electrones pueden colocarse en orbitales que representan la energía en forma de función de onda por una fuerza exterior. Podemos hacer modelos basados en leyes y ecuaciones físicas con una precisión perfecta para describir cómo funciona la naturaleza en las matemáticas y la ciencia. Consideramos que estos modelos son verdades matemáticas porque tenemos pruebas que los respaldan en lugar de un "dios de las lagunas" que solo necesita ser demostrado.

Los sólidos platónicos en los humanos

En el cuerpo humano también aparecen estas formas, ya que tiene muchas simetrías y está formado por partículas que giran a diferentes velocidades. La sal está formada por moléculas que tienen dos o más átomos como el agua, y cuando se disuelve en agua, esas moléculas se reorganizan y forman patrones simétricos simples como los sólidos platónicos. Esto aporta una prueba más de la existencia del diseño en la naturaleza.

Los sólidos platónicos también tienen la forma de las ondas cerebrales. Las ondas cerebrales son la actividad de las neuronas, la principal unidad de procesamiento del cerebro. En biología, las neuronas pueden encontrarse en un patrón simple que forma un tetraedro, la forma de los sólidos platónicos vistos como tetraedro, cubo y octaedro. También pueden adoptar otras formas, como pentágonos y octógonos. Cuando las neuronas se comunican entre sí, envían señales eléctricas como pulsos u ondas de energía para comunicarse entre sí a través de un sistema conocido como transmisiones electroquímicas, que utilizan moléculas como el ATP (trifosfato de adenosina) para transmitir las señales.

En la naturaleza

Los sólidos platónicos se pueden encontrar en muchas formas diferentes como copos de nieve, cristales, átomos, modelos del sistema solar y galaxias a través de formas como las esferas que componen nuestro universo o su atmósfera. Los sólidos platónicos son la base de la vida. Se pueden encontrar en forma de energía llamada materia oscura. Se calcula que la materia oscura constituye más del 90% del universo, pero no puede verse. Sin embargo, sabemos que existe por sus efectos gravitatorios. Los sólidos platónicos también se han encontrado en las formaciones estelares a través de las constelaciones. También están incorporados en la base de la vida, como se ve en el ADN y las células. La forma del ADN se asemeja a un tetraedro, uno de los sólidos platónicos con 4 lados o caras como una pirámide. Las otras formas platónicas (el cubo, el octaedro y el dodecaedro) también son formas posibles del ADN.

Platón sobre estos sólidos

Los sólidos platónicos reciben su nombre de Platón, que habló de ellos en 12 libros de su obra "Timeo". En esta obra, habla de la creación del mundo en términos geométricos y hace referencia a cinco sólidos regulares, vinculando cada uno a un elemento. Los antiguos filósofos anteriores a Platón también teorizaron sobre la existencia de estos objetos, pero no se referían a ellos por su nombre.

Una de las afirmaciones más famosas de Platón sobre los sólidos platónicos se refiere a su relación con el alma humana. Sostiene que cada una de estas formas contiene un reflejo perfecto del "plano" de un alma. Por ejemplo, creía que el tetraedro es responsable de la relación del alma con la materia y la mundanidad, el octaedro de la razón y la visión, el cubo del deseo y la percepción, y el dodecaedro de la capacidad del ser humano para entender la música. Además, defendió otra tríada:

- La armonía entre nuestros deseos y percepciones;
- Entre la razón y la emoción;
- Y la autenticidad entre los puntos de vista de dos personas.

Estas tríadas estaban unidas por dos condiciones más, y estas eran que los deseos deben estar ordenados hacia la razón, y la razón debe ajustarse al conjunto. También consideraba que un alma humana sana requería cada uno de estos sólidos platónicos en nuestro cuerpo y fuera de él.

Probablemente, el propio Platón nunca vio estas formas. Se hablaba de ellas antes de su época. Sin embargo, era consciente de que el tetraedro se utilizaba para construir ciertas cosas que él conocía, como el "dodecaedro" de piedra en forma de pirámide del Templo de Zeus. Sus puntos de vista sobre los sólidos platónicos tendrían eco y serían modificados muchos siglos después, especialmente en la Baja Edad Media con el matemático persa Nasīr Al-Dīn al-Tūsī (1135-1213). En su libro "De Caelo", postuló que el pentágono podría haber sido un punto de partida para cada uno de los sólidos regulares, lo que nos daría un cubo y un octaedro. Esto significaba que el dodecaedro faltaba en la lista, y aunque no dijo por qué pensaba que esto era así, probablemente se debía a que es imposible construir un sólido con doce caras. Luego pasó a describir el octaedro, casualmente como un poliedro que rodeaba una esfera cuyo radio era el diámetro de la Tierra.

También existe la leyenda de que Platón pudo haber descubierto estas formas al verlas en una visión del cielo. También creía que había diez de ellas, pero que una era demasiado perfecta para ser nombrada, y esta pasó a ser conocida como el "sólido divino" o "quinta esencia". Esa en particular apareció en películas como "El quinto elemento" y "La guerra de las galaxias". Muchos geómetras dudan de estas afirmaciones porque Platón nunca nombró realmente los poliedros regulares, sino que los llamó "tetraedros, hexágonos y decágonos", o "pirámides y prismas". Algunos afirman que ocultó deliberadamente sus nombres para evitar que la gente abusara de ellos.

La teoría platónica proponía que toda la materia estaba hecha de átomos invisibles e indivisibles que eran perfectamente idénticos. En la antigua Grecia, Platón dijo: *"Creo en dos principios... el Cosmos, la perfección de todas las cosas bellas, correctas y buenas..."* y *"...el alma, siendo inmortal, después de dejar el cuerpo es en sí misma... una sustancia pura".* Relacionó toda la creación con los números a través de las matemáticas. Creía que todo tiene un lado bueno y otro malo.

Esta teoría de los átomos fue bien apoyada por Demócrito y Pitágoras.

Platón también propuso que todo en el mundo tiene una naturaleza dual: Por ejemplo, el fuego puede crear un calor extremo, así como proporcionar calor y luz a las personas. El fuego puede destruir cosas, pero también puede utilizarse para crearlas. Los sólidos platónicos son representaciones de estas dualidades en la geometría.

Cómo se conectan los elementos con los sólidos

Hay un sólido platónico para cada elemento.

- El **tetraedro** representa el fuego. Es el más estable y está formado por 4 triángulos equiláteros. Es la forma con la que se puede contar en las matemáticas, la ciencia y la filosofía.

- El **cubo** representa la tierra. Con 6 caras cuadradas y 6 aristas, el cubo se forma trazando un cuadrado de esquina a esquina dos veces, formando 4 "paredes" que se unen en sus bases.

- El **octaedro** representa el elemento aire. Tiene 6 caras de igual superficie como un octaedro regular (1/6 de un cubo), pero con 4 aristas más. Está formado por 8 triángulos equiláteros, y cada arista tiene el doble de longitud que la base del triángulo. Esto lo hace tan fuerte como un cubo, pero aún más eficiente, ya que no hay espacio desperdiciado.

- El **icosaedro** simboliza el agua. Tiene 20 caras triangulares equiláteras ("icosa" es 20). Está formado por 12 pentágonos, cada uno de los cuales es el doble de un triángulo y 3 triángulos más congruentes.

- El **dodecaedro** representa el éter y tiene 12 caras pentagonales congruentes y regulares. Está formado por 20 triángulos congruentes en los que cada lado tiene la misma longitud que la arista, lo que le da el doble de fuerza que un octaedro, ya que todo su espacio se utiliza de forma eficiente.

El tetraedro

El tetraedro es el más simple de los sólidos platónicos. Tiene 4 caras triangulares equiláteras, 3 vértices y 6 aristas. Su importancia en relación con el fuego es que es la primera figura sólida que tiene un fuego como atributo de descubrimiento propio. Este atributo de descubrimiento se puede encontrar a través de la patogénesis - lo que significa que fue descubierto por personas que estuvieron a punto de descubrir el fuego por sí mismas, pero casi se quemaron en el proceso. El tetraedro simboliza el autosacrificio y la unión con los demás con el fin de crecer mutuamente.

Para explicar las cuatro caras triangulares, podemos fijarnos en los tres elementos de un tetraedro:

1. El primer elemento tiene que ver con la forma cónica de un tetraedro. La forma de un cono se estrecha hacia su punta, lo que simboliza el fuego que viene de arriba (hacia arriba). Esto simboliza dos cosas importantes. Una es que el fuego es un regalo para la creación y que estamos hechos a imagen y semejanza del creador.

2. El segundo elemento tiene que ver con el hecho de que cada lado de un tetraedro tiene la misma longitud. Esto significa que los cuatro lados forman triángulos perfectos. Los cuatro triángulos representan el fuego que viene de arriba pero que también es perfecto por su equilibrio. Esto puede explicarse por el hecho de que cuando el fuego se encuentra con el aire,

se crea un equilibrio perfecto de dos opuestos (fuego y aire), lo que resulta en un estado de equilibrio.

3. El tercer elemento es cómo el fuego forma la base del tetraedro en el que se basa el resto de este motivo simbólico del fuego. El tetraedro es la forma de la Tierra y representa el fuego en conexión con ella. La unión de los cuatro lados de cada triángulo en un tetraedro muestra la unión de uno con otros dos. Esto significa que cada persona o grupo que existe forma una interdependencia entre otras dos personas o grupos porque todos buscamos lo que es bueno para nosotros y lo que es bueno para otra persona o grupo en nuestras vidas. Para mantener esta interdependencia, debemos cuidar la Tierra cuidando las cosas que la sostienen (plantas, animales y naturaleza). Esto también se refiere a todas las personas de la Tierra y a cómo debemos cuidarnos unos a otros, ya que todos estamos conectados.

Con todos estos conceptos en mente, el tetraedro tiene un significado más allá de las simples formas geométricas y conexiones con la física en forma de llamas. Este símbolo del fuego también tiene un significado más allá de sus aplicaciones físicas y se aplica a un panorama más amplio. Esto se debe a que el significado del fuego está relacionado con el aspecto metafísico de la creación. Nos muestra que podemos utilizar nuestro propio fuego para ayudarnos a prosperar, pero solo con un equilibrio con todo lo que le rodea. Esto puede hacerse conectando con los demás para buscar lo que es bueno para nosotros y para los demás que nos rodean y amando nuestro entorno y cuidándolo bien.

El Octaedro

El aire es un elemento muy importante de la vida. Proporciona el oxígeno que necesitamos para respirar y es el elemento que da vida a todos los demás elementos. Por esta razón, el aire se ha asociado con muchos símbolos diferentes a lo largo del tiempo, incluido el octaedro.

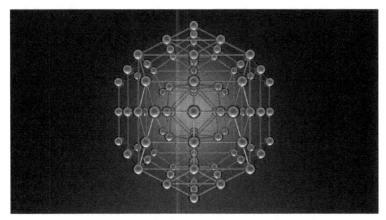

La forma de octaedro del aire puede verse de varias maneras. En la antigua India, se le representaba como un dios que sostiene el cielo, dando forma al espacio. En la antigua Grecia, se veía como dos pirámides que formaban una cúpula invertida, y según la geometría moderna, cuando se dobla un papel o se juntan los dedos, se crea una forma de octaedro.

El octaedro sagrado se utiliza a menudo en las tradiciones wicca y celta, donde también simboliza el aire. En estas religiones, simboliza tanto la divinidad como el elemento aire. Se cree que cada uno de estos elementos tiene su propio dios. Para el aire, este dios es Oki. También se encuentra en la cultura islámica: la Kaaba es un edificio con forma de cubo en torno al cual rezan los musulmanes, y el santuario interior de la Kaaba, que es un cubo dentro de otro cubo, ha sido conocido por su espacio de espejo octogonal. En Egipto, los antiguos egipcios adoraban a los dioses egipcios que se representaban como estatuas octogonales (se cree que las pirámides sagradas de ocho lados fueron creadas por esta misma civilización).

Desde la antigüedad, la gente ha asociado el cielo con la divinidad: en la antigua Grecia, deidades como Zeus (que caía del cielo en forma de rayos) y Géminis (que se creía que surcaban el cielo en caballos alados) se asociaban con el octaedro. También se pensaba que el octaedro era la figura de la diosa de las estrellas, Nyx, y un vínculo con el cosmos creador. Por eso figura en muchas religiones modernas como símbolo del aire. Platón utilizó las esferas y los octaedros para plasmar ideas sobre el viaje en el tiempo, el espacio y la espiritualidad divina. Uno de sus escritos más famosos, las Alegorías del Timeo, está dedicado a estos conceptos.

En la antigua Grecia, se consideraba que el octaedro equilibraba los otros sólidos platónicos: las esferas y los tetraedros (es decir, las formas de cuatro lados). Incluso el nombre del octaedro viene del aire: se le llamaba cubo Hedone porque se creía que traía buena suerte cuando se utilizaba en un anillo de boda. A veces se atribuye al filósofo y matemático romano Arquímedes la concepción del octaedro ya en el año 250 a. C. como forma geométrica matemática clave, pero si es así, es posible que no haya inventado esta forma él mismo, sino que haya heredado su conocimiento de la antigua Grecia. Más adelante, los matemáticos estudiarían cómo se relacionaban las distintas formas entre sí y utilizarían este conocimiento para demostrar sus teorías sobre la geometría.

Los antiguos griegos también creían que el octaedro tenía la forma de un mirto, una idea que fue adaptada posteriormente por los antiguos egipcios, que creían en un árbol del mundo, llamado árbol ba (o árbol hent). La palabra "mirto" procede de la mitología griega: se dice que cuando Zeus reclamó todo el monte Olimpo, tomó una rama de mirto del monte Olimpo y se la dio a su esposa, Hera. Esta rama se colocó posteriormente sobre su cabeza mientras yacía en su cueva llorando por Zeus. Debido a esta asociación con Hera (diosa del matrimonio), los mirtos también se asociaron con el amor y se utilizaron como símbolo de la belleza femenina. En los tiempos modernos, el octaedro significa cosas diferentes para cada persona, pero puede ser un símbolo del Creador, de la inteligencia y de la vida.

Como humanos, todos estamos unidos por el aire. Tanto si vive en una ciudad, en una granja o en las montañas, el aire representa nuestra conexión con el mundo y con otras personas. Es un elemento muy personal de la vida y se cree que es una parte clave del ciclo vital de la humanidad. Todos los humanos utilizamos el aire cada día. Lo respiramos y estamos rodeados de él. Es importante porque da vida. Sin aire, no habría vida. Del mismo modo, cada elemento de nuestro cuerpo necesita el aire para sobrevivir. El octaedro nos recuerda que todos estos elementos están vinculados y son igualmente importantes.

El Hexaedro

Un Hexaedro es una forma geométrica tridimensional que tiene 6 caras y 12 aristas. Puede imaginarse como un cubo con las caras opuestas dobladas hacia fuera y las esquinas recortadas. El Hexaedro es el poliedro más simple y su nombre deriva del griego, que significa "seis caras".

El Hexaedro representa la tierra y la materia, y representa la estabilidad. Los seis cubos representan las seis caras de nuestro mundo: norte, sur, este, oeste, arriba y abajo. Las 12 aristas representan las 12 horas del día o de la noche. Puede representar el bien o el mal, la suerte o el desastre, según las circunstancias. Muchos de nosotros hemos visto la palabra Hexaedro cuando miramos la tabla periódica de los elementos. También se utiliza como figura geométrica, al igual que el triángulo, el cuadrado y el círculo.

El Hexaedro ha estado presente en nuestra historia simbólica desde hace miles de años. Aunque hay algunas conjeturas sobre su origen y significado exactos, en general se acepta que los antiguos egipcios utilizaban esta forma geométrica para describir la transición de la decadencia a la creación. Los sacerdotes de Babilonia también utilizaban el Hexaedro para representar el agua. Los romanos también lo utilizaron como símbolo de la tierra y la materia, así como una representación de sus diversos dioses. En la Edad Media, era un símbolo de los seis días de la creación y del planeta Saturno. Más recientemente, ha sido un símbolo de la ayuda a las catástrofes.

El hexágono, que tiene 6 lados que lo rodean, parece haber entrado en uso para las matemáticas en general durante el período del Renacimiento o quizás incluso antes. Hay artefactos del antiguo Egipto que también utilizan esta forma, lo que indica su uso antes del 1.600 a. C. Sería difícil rastrear con exactitud el momento en que la gente empezó a utilizar esta figura geométrica en sus círculos comerciales o sociales, pero en algún momento, durante este periodo de tiempo, se adoptó como emblema de estabilidad y plenitud. Es un elemento importante a tener en cuenta a la hora de analizar el entorno futuro. Es un símbolo positivo que representa la estabilidad frente al destino, y suele dar una sensación de permanencia y bienestar general. Este símbolo puede utilizarse para indicar que una persona no necesita cambios extremos para sentirse satisfecha con su vida. Él o ella podrá encontrar la felicidad y la satisfacción independientemente de lo que ocurra en la vida.

El Hexaedro es un estabilizador emocional. Le devuelve a uno a la tierra cuando se siente demasiado emocional. También puede utilizarse para estabilizar otros símbolos o el entorno en el que residen. Uno puede observar una serie de cambios negativos que se producen, y el Hexaedro revelará la influencia estabilizadora del orden y la cooperación en esos cambios. Cabe señalar que los acontecimientos malos que siguen a los buenos no son necesariamente negativos, ya que pueden servir para despertar a una persona de su letargo moral, creando así un cambio positivo.

El Hexaedro aborda cuestiones tanto psicológicas como sociológicas. Se relaciona con la formación de nuestro entorno social, las actitudes que mantenemos y cómo se transmiten en nuestra sociedad. Es un símbolo de unidad y un recordatorio de que hay que cooperar con los demás para lograr el éxito. También se relaciona con nuestras percepciones correctas o incorrectas del universo y cómo encajamos en él. El Hexaedro tiene un vínculo especial con los grupos, incluidos los grupos dentro de los grupos. Destaca la interconectividad de todas las cosas e ilustra cómo las acciones de un grupo pueden afectar a otro. Cuando estos vínculos se cortan, puede producirse el caos en un sentido físico o psicológico. Esta es una lección importante que debemos aprender si queremos evitar futuros desastres.

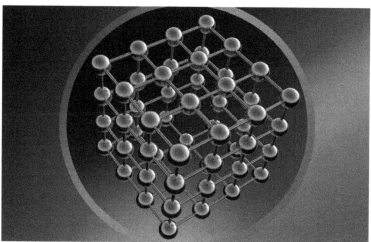

El icosaedro

El icosaedro, también conocido como gota de agua o bola de agua, es un poliedro con 20 caras triangulares, 30 aristas y 12 vértices. Pitágoras utilizó esta forma para representar el cosmos. El icosaedro, al ser uno de los cinco sólidos platónicos, puede verse como una combinación de un prisma pentagonal y hexagonal (prisma de seis caras) combinado con un heptágono. El prisma pentagonal tiene cinco caras triangulares y el hexagonal tiene seis caras triangulares. La forma icosaédrica también destaca en la gota de aceite de oliva y en las formaciones de cristal.

La aparición del icosaedro puede verse en un episodio de Doctor Who, titulado "Los robots de la muerte" y "La invasión", donde la forma que aparece es una modificada creada por civilizaciones alienígenas. En el episodio "Las arenas del tiempo", se utilizó para mantener unida la Máquina del Tiempo del Dr. Baker.

La palabra icosaedro deriva de dos palabras griegas, ikos, que significa "veinte", y hedra, que significa "caras". El nombre proviene de la escuela pitagórica de la filosofía griega. Cabe destacar que en ese momento se conocía como dodecaedro. Fue rebautizado como icosaedro siglos después por el famoso filósofo Thomas Hobbes.

En geometría, el icosaedro es el primer poliedro estrellado, lo que significa que tiene como base y caras un polígono regular en forma de estrella. Existen seis estelaciones del icosaedro: una con estrellas de cinco puntas y cinco con estrellas de seis puntas. A partir de los 12 vértices de un icosaedro se pueden dibujar 20 triángulos. Los 20 triángulos se pueden agrupar en pares, dando como resultado 10 pares cóncavos de borde a borde y 5 pares convexos de borde a cara (5 prismas triangulares). Estos 5 pares están en conjuntos de vértices opuestos de ambas caras pentagonales.

En referencia a la religión, el simbolismo del icosaedro es que representa la totalidad, la terminación y la perfección. Se asocia al hinduismo y, en algunos casos, al cristianismo. Un análisis más profundo del hinduismo ha determinado que el icosaedro tiene una conexión con Vishnu, uno de los tres dioses principales de esta religión. Se le conoce como el chakra o la mano de Dios. También se asocia con los doce signos del zodiaco, que se corresponden con sus 12 vértices. El icosaedro tiene muchas funciones en el hinduismo, como ser una representación geométrica del cosmos, una representación de los fenómenos y una representación de la aventura.

La forma del icosaedro también se ha asociado con el número 12 en función de sus 12 vértices. Así lo demuestra su uso como símbolo poliédrico de siete lados en el zodiaco. De hecho, es posible utilizar el icosaedro para calcular la fecha de nacimiento de una persona. Por ejemplo, utilizando el icosaedro, podemos averiguar el mes en el que nació una persona, y esto puede utilizarse para trazar el horóscopo de la persona dentro de ese mes. Incluso el orden de las estrellas en el zodiaco tiene una conexión con esta forma.

Se trata de una forma antigua. Los egipcios hicieron pirámides con ella, y también se ha utilizado en varias culturas del mundo para denotar el agua, el hielo, la lluvia y el cosmos. Es un símbolo fuerte porque todo lo que representa se puede encontrar en la naturaleza. Es una forma geométrica sólida que representa muchos conceptos diferentes, y su fuerte simbolismo significa que puede ser visto de estas formas durante siglos.

El dodecaedro

Un dodecaedro es un poliedro con doce caras planas, siendo cada cara un triángulo equilátero. La forma más común tiene cinco caras pentagonales, construidas a partir de solo seis pentágonos regulares. Puede verse como la forma tridimensional de un cubo o una célula hipercubo de un teseracto vacío. Es el único sólido platónico regular, aparte del tetraedro, que tiene longitudes de aristas iguales.

El dodecaedro también representa algo mucho más importante: la energía del éter. Sí, es cierto que la Tierra y todos sus habitantes están formados por tierra y piedras, pero ¿qué es lo que realmente sostiene nuestra vida? El medio interestelar (ISM, por sus siglas en inglés) es lo que nos mantiene vivos, y se ha demostrado que existe al observar la reacción química entre las personas que se acercan unas a otras. Cuando usted se concentra en algo o tiene sentimientos al respecto, ese pensamiento o sentimiento se manifiesta como una agregación de esta energía natural (ISM) por sus pensamientos (intención) y sentimientos (energía). Así es como funciona el aura humana y, aunque es difícil de cuantificar, algunos investigadores han intentado hacerlo.

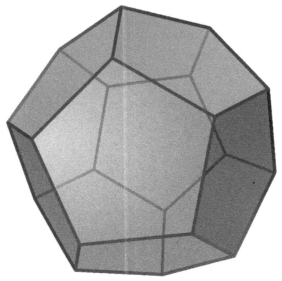

Se dice que el dodecaedro es capaz de amplificar los pensamientos y ayudarle a enviarlos telepáticamente a través del espacio. Muchos están familiarizados con la Ley de la Atracción; hablan, piensan y se centran en lo que más desean, y se produce. Creen que alguna relación de causa y efecto con sus pensamientos crea un "magnetismo" que atrae hacia ellos lo que quieren manifestar en sus vidas. Si ha estudiado la Ley de la Atracción, reconocerá que centrar la energía positiva en algo tiene más probabilidades de producir un mejor resultado que centrarse en algo que no quiere atraer o en algo que desea menos en su vida. El dodecaedro es la razón por la que usted es capaz de hacer realidad sus deseos.

El dodecaedro es también un símbolo del espíritu humano. Se dice que es el símbolo más potente de la energía natural, espiritual y cósmica de toda la existencia, que amplifica los pensamientos (intenciones) y promueve la curación, además de transmitir eficazmente la información de un lugar a otro. También es la forma más espiritual de todas las formas, teniendo en cuenta que se ha demostrado que es una forma eficiente para una variedad de aplicaciones energéticas. Esto la convierte en una de las herramientas más poderosas para la curación y la comunicación que existen en el universo conocido. Lo fascinante de todos los sólidos platónicos es que hay una forma que los contiene a todos, y vamos a hablar de ello en el próximo capítulo.

Capítulo 5: El cubo de Metatrón

En este capítulo, hablaremos de una misteriosa forma geométrica que resulta contener todos los sólidos platónicos: El Cubo de Metatrón.

¿Qué es el cubo de Metatrón?

El Cubo de Metatrón es una representación tridimensional del Árbol de la Vida. Se utiliza en la geometría sagrada y se encuentra en muchos artefactos antiguos, incluida la Biblia. El árbol está formado por diez círculos con ocho líneas que los cruzan, cada una de las cuales tiene tres puntos. La esfera creada por estos puntos tiene un radio que se extiende desde el centro hasta el infinito (que está representado por las caras del cubo). Esta esfera también conecta con un punto "infinitamente intenso" llamado Kether (corona), que simboliza a Dios, así como con una cruz llamada Tetragrammaton. Simboliza los cuatro elementos (fuego, agua, aire, tierra) y su unificación, y se manifiesta como quintaesencia o espíritu. La quintaesencia es la fuente de los rayos de energía que, al combinarse, crean la vida.

Dios en todas las cosas

El cubo de Metatrón simboliza la creación de la vida, y al hacerlo, todos los mundos están conectados. El cubo simboliza el espíritu de Dios y su amor por la humanidad y el deseo del hombre de estar en su presencia. Un aspecto interesante de la esfera es que alberga todas las posibilidades en su interior, pero permanece oculta para la humanidad porque no podemos ver a Dios ni su naturaleza omnipresente.

Las sefirot y las líneas no deben verse como "por encima" o "por debajo" de las demás, sino en un estado de interconexión. Todas se conectan con Dios de una forma u otra. De hecho, todas influyen en las sefirot que atraviesan solo por su proximidad (ley de contagio u ósmosis). El cubo es muy importante en la geometría sagrada porque se dice que contiene la idea de la creación en su interior. El cubo es la representación más literal de la idea de Dios que existe dentro de toda la creación. Esto puede verse al observar las líneas del cubo, que son símbolos de los mundos. Todos están conectados con Dios, y se extiende desde Kether -la esfera que los conecta entre sí- hasta Malkuth, el planeta físico en el que vivimos.

Toda la creación fue traída a la existencia por el creador y puede ser rastreada hasta él literalmente. El cubo de Metatrón encarna esta idea al crear una imagen dentro de sí mismo, así como un estado de conexión entre todas las demás versiones de sí mismo. El cubo de Metatrón es también un símbolo muy poderoso porque se pensaba que era el arma más poderosa utilizada por el hombre en la lucha contra el mal. Se dice que cuando el cubo se sostiene delante de alguien, el alma de esa persona puede verse a simple vista.

Esta idea de un recipiente espiritual (de algún tipo) también puede verse en otros símbolos de la geometría sagrada como el tetraedro, que representa al hombre y su deseo de tender un puente entre el Cielo y la Tierra. Los cabalistas creen que este cubo es en realidad el nombre de Dios escrito en hebreo: Yod - Heh - Vau - Heh. Se trata de una descripción de los cuatro elementos fundamentales que se pueden ver en el Cubo de Metatrón.

Teorías sobre el cubo de Metatrón

El concepto del Cubo de Metatrón se registra a través de varias fuentes diferentes, pero todas coinciden en su existencia durante la Edad Media, cuando pasó a formar parte de la corriente principal de la cábala. Hay varias teorías sobre los orígenes del cubo. Una de ellas es que fue un trozo de la verdadera cruz recogido por Elías, que estaba en trance y se había materializado en la cima del monte Carmelo. La segunda teoría es que Dios mismo entregó el cubo de Metatrón a Adán y Eva como respuesta a sus oraciones. Este cubo también explicó al hombre cómo se produce la creación mostrándole cómo Dios llega a él a través de sus creaciones.

El cubo fue colocado más tarde en el Arca de la Alianza, que contenía dos cubos más. Estos fueron llamados las piedras de fuego y de agua. A través de estas piedras, Dios daba al hombre su ley e incluso se sabía que castigaba a los que no la respetaban utilizándolas como arma contra sus enemigos. Sin embargo, había un problema. El cubo de Metatrón era demasiado poderoso para ser guardado en la Tierra, así que tuvo que ser guardado en el Cielo, donde permanece hoy en día - fuera del alcance del hombre. Todas estas teorías solo conducen a más preguntas, la más importante de ellas, ¿quién es Metatrón?

El arcángel Metatrón

Metatrón es un ángel que aparece como humano y siempre se ha asociado con el conocimiento y el aprendizaje. No solo habla todas las lenguas, sino que también se dice que conoce todos los secretos y misterios, así como la forma de viajar en el tiempo como un rayo. Es una figura muy misteriosa que ha sido asociada con muchas cosas diferentes a lo largo de su historia. Su nombre significa "el grande" o "la presencia de Dios", y parece que es el ángel de menor o mayor rango en algunas religiones.

El nombre de *Metatrón* proviene de una palabra hebrea que significa "sostén de los cielos". Se le considera el protagonista de dos historias diferentes: La de Adán y Eva en el Génesis y la de Moisés, que recibe de Dios la orden de guiar a los israelitas en el Éxodo. En esas historias, es tanto un ayudante como un obstáculo.

El cubo de Metatrón se remonta a la época en que se creó el mundo. Metatrón y otros ángeles estaban en el Jardín del Edén, sosteniendo el universo y las estrellas en sus manos, cuando tuvieron una visión de un mundo en el que no habría guerra ni pecado. Sin embargo, como esta visión iba en contra de la voluntad de Dios, no pudieron compartirla con Adán y Eva hasta que pecaron y trajeron el sufrimiento al mundo. Por lo tanto, Metatrón fue en cierto modo responsable de hacer que Adán y Eva cayeran de su estado justo original y de causar su exilio al Jardín del Edén.

Metatrón también ha sido adorado como un dios en algunas culturas antiguas, como Egipto y Babilonia. En la mitología egipcia, se dice que Metatrón fue uno de los dioses más poderosos que creó el cielo y la tierra. Se le representa como un anciano de pelo y barba blancos y se le puede ver sosteniendo una tabla o un libro o, en algunos casos, un pergamino. También se le puede ver portando una guadaña o un báculo, lo que se cree que simboliza que Metatrón controla cómo se dictan las vidas.

Otras culturas veían a Metatrón como un ángel inferior que era enviado a la tierra para ayudar a escuchar y escribir lo que Dios decía a la gente. Se creía que vivía en la cima del monte Hermón (Taybeh en árabe), situado en Siria y Líbano. El nombre griego de Metatrón era Tromentos, que significa "el que registra".

El símbolo del cubo es utilizado por muchas culturas diferentes que representan cosas distintas. En otras culturas significa "cielo" o "ángeles", mientras que en el judaísmo representa el poder de Dios y su presencia. En el islam, puede utilizarse para representar el más allá, donde los creyentes son recompensados por sus buenas acciones.

Metatrón y el islam

En el islam, Metatrón es el ángel más antiguo conocido por la humanidad, creado 1.000 años antes de la creación de Adán. Se cree que fue un maestro de Moisés que le enseñó todo lo que sabía sobre sus deberes como representante de Dios en la Tierra. El nombre de Metatrón también podría derivar de la palabra met, que significa "con" o "mensaje". En el islam se le conoce como Al-Qarāf (el de las caras) y Al-Arşaf (el que hizo las caras). El concepto islámico de Metatrón es muy similar a la percepción judía, ya que el islam también enseña que enseñó a Moisés y a otros profetas todo sobre Dios.

Metatrón y el cristianismo

En las enseñanzas cristianas, Metatrón es representado como un poderoso arcángel que se encarga de registrar los pensamientos de Dios sobre qué cosas deben cambiarse y qué deben permanecer igual. También ayuda a proteger a los creyentes y los guía en el camino hacia Dios. En muchas tradiciones cristianas, se le llama "el ángel que está delante de Dios". También se le conoce con los nombres de Abdiel y Muriel.

En el gnosticismo, Metatrón era el ángel que llevaba las tablas de piedra en las que Dios había inscrito su Nombre y su Voluntad. A través de estas tablas, la verdad de Dios estaría con cada persona, y esta llegaría a comprender su propósito en la vida. También se dice que fue el responsable de crear a Adán de arcilla y de darle alma después de su creación (Génesis 2:7).

Se dice que Metatrón posee poder sobre el fuego, el agua y la tierra, lo que le dio algunos papeles importantes en la historia. Se cree que ayudó a Moisés a crear las tablas que contienen los mandamientos de Dios para la humanidad. También se le conoce como "el gobernante del sexto cielo", lo que significa que tiene influencia sobre los demás ángeles. Otro papel importante que ha desempeñado Metatrón en la historia es cuando influyó en Abraham (la figura principal del libro sagrado del judaísmo) para que abandonara Ur con su esposa Sara y se convirtiera en nómada. Muchos practicantes cabalísticos creen que Metatrón fue creado incluso antes de que Dios creara el mundo, pero no se convirtió en un ángel de pleno derecho hasta después de que Abraham abandonara Ur. Se sabe que vivió en el cielo durante mucho tiempo antes de que se le revelara su papel en la entrega del Sefer Yetzirah.

Metatrón y el misticismo judío

En la Cábala (misticismo judío), Metatrón es uno de los cinco ángeles más elevados. Se dice que estaba en el "gabinete interior" de Dios en el Cielo, junto con los arcángeles Miguel, Gabriel, Rafael (o Uriel) y Suriel. Dios lo creó cuando se decidió que se necesitarían seres sagrados para ayudarle a crear el mundo y dar a los humanos un lugar donde vivir. Metatrón tenía un conocimiento ilimitado cuando fue creado a pesar de que solo se le conocía como un ángel y no como un dios. Fue él quien enseñó a los primeros humanos los secretos de la creación.

En el judaísmo, se cree que el ángel Metatrón es el suplente de Dios y el líder de todos los ángeles. También se dice que es el responsable de registrar las almas de las personas después de la muerte. Hay dos escuelas principales de pensamiento sobre Metatrón. Una es que era un arcángel que ayudaba a Dios a gobernar el universo. La otra es que era un simple ángel que ayudaba a cumplir la voluntad de Dios en la Tierra.

En una forma de la Cábala (Nirguni), se decía que Metatrón era el ángel principal y un miembro de la corte celestial. En otra forma de la Cábala (sefardí), se creía que era un ángel que mezcló las almas de Adán y Eva el día en que fueron creados. El punto de vista sefardí afirma que Metatrón se identifica a veces con el ángel Yerach Zebaoth, que estaba a cargo del ángel de la muerte, responsable de llevarse las almas después de la muerte.

En algunos recursos, se dice que Metatrón es un golem, que era una criatura mítica a la que daban vida los practicantes de la Cábala. Normalmente se utilizan para proteger a las comunidades judías de tiranos u otras amenazas contra su seguridad. La fe judía también atribuye a Metatrón la creación del Sefer Yetzirah, un libro que se supone que contiene conocimientos e instrucciones sobre cómo crear otras herramientas místicas. El Sefer Yetzirah (el Libro de la Creación) es un libro de sabiduría mística que fue creado por Dios y entregado a Metatrón cuando se decidió que los humanos necesitaban que se les enseñara cómo crear su propio mundo. Las instrucciones que les dio estaban escritas originalmente en las tablas que contenían los Diez Mandamientos.

Prima Materia

Se cree que el cubo de Metatrón representa la cuarta dimensión, que a menudo se denomina "la dimensión del tiempo". Se dice que el centro del cubo de Metatrón es "el cuarto punto" o "cuboctaedro". Esta forma representa a Dios tomando forma después de haber decidido que iba a haber una manifestación física de su poder en la tierra. Esto llevó a especular sobre el vínculo entre el cubo y algo llamado prima materia.

Prima materia es la expresión latina para "primera materia", que significa "el primer material de todas las cosas existentes". Es básicamente una sustancia creada a partir de la nada, y no contiene energía. No se sabe mucho sobre sus propiedades, pero se cree que es la fuente de toda la materia del universo. Todos los seres vivos de la Tierra están hechos de prima materia y de otros planetas y estrellas. Los cabalistas creen que todas las creaciones de Dios proceden de esta sustancia original.

Aunque la frase "prima materia" es ahora de uso común en la lengua inglesa, no está oficialmente reconocida como un término legítimo por la comunidad científica. Como término, fue utilizado por primera vez por Paracelso, un alquimista del siglo XVI. Era conocido por su uso de neologismos y sus teorías sobre la alquimia. También era astrólogo y tuvo una gran influencia en la industria química de la época.

Paracelso creía que toda la materia del universo estaba compuesta por este material, que él describía como una "sustancia sin forma". También existía la creencia de que la materia prima nunca se extingue y siempre está presente en alguna forma. Según los alquimistas, también se creía que la prima materia era el elemento básico de todos los elementos del universo. Paracelso tenía la idea de que la prima materia era un elemento espiritual y psíquico que podía afectar a otros objetos o seres.

Desde su primer uso por Paracelso, el término se ha utilizado en muchos contextos científicos diferentes. Una simple búsqueda en Google hará que aparezcan muchas fuentes alquímicas y científicas que hacen referencia al término. La forma más común en que el término es utilizado y entendido por los científicos modernos es en relación con "*las etapas iniciales de una reacción química*". También se utiliza en cosmología para explicar la formación de estrellas y planetas.

El concepto de que la materia prima está en el Cubo de Metatrón se ha transmitido durante generaciones a través de la literatura cabalística. La mayoría de la gente que aprende sobre este concepto entiende que se refiere a la "sustancia" o "materia" que Dios creó. Platón decía que todo tiene una fuente común, e incluso la materia física parece estar formada por este material espiritual. Su escrito sobre este concepto fue una de las fuentes originales donde se originó esta información.

Otra referencia al mismo concepto se encuentra en los escritos de Aristóteles, el alumno más famoso de Platón. En su libro "Metafísica", Aristóteles dice que cada cosa (incluidos nosotros mismos) está formada por una "sustancia", que es divina y eterna. También dice que la "sustancia" puede dividirse en cuatro partes separadas: tierra, aire, fuego y agua, que conocemos como los cuatro elementos clásicos. Algunas personas que han estudiado las obras de Platón y Aristóteles dicen que estos dos autores se refieren al mismo concepto, la prima materia.

El cubo de Metatrón muestra un patrón que puede verse en toda la naturaleza en diferentes aspectos, como los cristales y las formas vegetales (como los corales). Conecta con todas las creaciones de Dios y les ayuda a reconocer su propio y único propósito en la vida. Se dice que el cubo de Metatrón ayuda a ascender a un nivel superior de conciencia siguiendo la gran ley tanto en el mundo físico como en el espiritual.

Durante la meditación, el cubo de Metatrón puede ayudarle a comprender cómo se alinea con la voluntad de Dios y cómo puede utilizar sus dones para ayudar a los demás. Fomenta el autoconocimiento al meditar sobre todo su crecimiento espiritual, reconociendo que su nivel actual de conciencia se alcanzó a través de muchos años de experiencia y lecciones. Esto le proporciona una comprensión más profunda de la dirección que debe tomar de aquí en adelante. La colocación de las manos sobre este patrón de energía también puede utilizarse para ayudar a las personas que han recibido habilidades divinas o capacidades de curación. Aquellos que no han recibido estas habilidades pueden utilizar el cubo para ayudarles a conectar con sus guías espirituales y dioses para recibir nuevas habilidades.

Este patrón también puede utilizarse para ayudar a curar a la gente en el plano físico, ya que se dice que el cubo puede otorgarle un conocimiento increíble sobre el acceso al mundo espiritual y el uso de ese conocimiento en el plano físico. Quienes quieran probar esto deben meditar en el símbolo mientras piensan en problemas como curar heridas, eliminar energías negativas de su cuerpo, atraer energías positivas o cualquier otra cosa que quieran resolver. El cubo también puede ser utilizado por personas que necesitan orientación en sus vidas o necesitan saber cómo deben utilizar los talentos que Dios les ha dado para servir a los demás.

Un ejercicio de meditación con este símbolo

En muchos libros y recursos sobre el cubo, se pueden encontrar imágenes del cubo de Metatrón que se utilizan como método para sacar las cualidades que hay en uno mismo. Se cree que es una herramienta que puede ayudar a curar a las personas ayudándolas a ver sus propias virtudes internas, o lo que Thomas Carlyle llamó "el resplandor interior". También se cree que visualizar el Cubo de

Metatrón puede ayudar a los practicantes a relacionarse con el símbolo de forma positiva y hacerlo suyo. Para empezar, deberá seguir los siguientes pasos:

1. Coloque un modelo del cubo de Metatrón en una mesa o superficie plana frente a usted. Asegúrese de que es lo suficientemente grande para poder verlo.

2. Póngase de pie y mire el cubo de Metatrón desde unos metros de distancia.

3. Cierre los ojos y traiga la imagen del cubo de Metatrón a los ojos de su mente. Esto le ayudará a practicar la memoria recordando el aspecto del objeto.

4. Ahora, abra los ojos y vuelva a mirar el objeto real.

5. Practique el ejercicio de visualización unas cuantas veces para que se familiarice con la idea de visualizar los objetos.

6. Vuelva a cerrar los ojos y traiga la imagen del cubo. (Si no recuerda su aspecto, abra los ojos y vuelva a ver la imagen. Tómese su tiempo, luego cierre los ojos y traiga la imagen a su mente).

7. Concéntrese intensamente en ella e imagine que el cubo se hace cada vez más grande hasta que llene por completo su campo de visión.

8. Ahora, imagine un elemento específico dentro del cubo de Metatrón (luz, agua, fuego, tierra). Traiga ese elemento al ojo de su mente.

9. Repita este proceso con cada aspecto elemental diferente dentro de Metatrón (fuego, luz, aire, éter).

10. A continuación, concéntrese en las líneas que componen el cubo. Imagine que esas líneas se hacen cada vez más gruesas hasta que sean muy gruesas (piense que son tan gruesas que casi podría pisarlas).

11. Por último, piense en el contorno del cubo de Metatrón y en sus cuatro lados sólidos. Imagínese que esos cuatro lados se vuelven completamente transparentes, como si estuvieran hechos de un espejo o de un material transparente. Ahora debería ser capaz de ver directamente a través de Metatrón lo que hay detrás de él (pero asegúrese de no enfocar nada más

que el objeto que tiene delante). Si en algún momento se distrae de su ejercicio de visualización, vuelva a centrarse en su objeto hasta que se sienta cómodo avanzando en este ejercicio. Lo ideal es que el ejercicio dure entre 5 y 15 minutos.

12. Después de completar su ejercicio de visualización, abra los ojos y ciérrelos inmediatamente para ver la imagen del cubo que ha creado en el ojo de su mente. Asegúrese de no mirar nada más que aquello en lo que está trabajando.

13. Repita el paso 11 unas cuantas veces más hasta que se convierta en una segunda naturaleza para usted conjurar vívidamente la imagen del cubo para ayudarle durante las prácticas meditativas.

Capítulo 6: Active su Merkabah

La Merkabah es un concepto espiritual central en el sistema de creencias cabalístico. Este término proviene de la palabra egipcia "mer" que significa "luz" y "ka" que significa "espíritu" y "bah" que significa "cuerpo". A menudo se le denomina "vehículo de luz" porque simboliza el potencial del hombre para la autotrascendencia. La Merkabah también puede denominarse "tetraedro estelar", una forma geométrica piramidal que está formada por seis triángulos equiláteros cuyas puntas se encuentran en la circunferencia de un círculo. En el libro de Ezequiel de la Biblia se hace referencia a este símbolo como el "carro de Dios". En el capítulo uno, versículo 4, el profeta Ezequiel afirma que él mismo vio la Merkabah bajando del cielo, con fuego y figuras humanas a su alrededor, y que había un trono sobre ella, en el centro de esta visión.

Es fascinante reflexionar sobre lo que realmente significa esta visión, ya que es tan profundamente profunda y rica en significado. Los conceptos cabalísticos relativos a la Merkabah han cambiado a lo largo del tiempo, a medida que se han ido añadiendo conocimientos. La descripción más sencilla es que la Merkabah es una visión del Poder Supremo, la Voluntad Divina y la Inteligencia Divina.

Conocer a Dios y conocerse a sí mismo

La Merkabah es lo que nos conecta con Dios o la Fuente. Es un lugar elevado de conciencia donde podemos conectar con la Mente Divina. Algunos la describen como "un puente hacia Dios", que le conecta en un sentido no físico. Otros lo ven como un túnel que conduce desde su cuerpo físico hasta los chakras o centros espirituales del cuerpo.

Esta forma se ha utilizado durante siglos en diversas culturas e ideologías como representación de la luz, el espíritu y el cuerpo. Con el Merkabah, usted puede ver su propia naturaleza verdadera y, por extensión, conocer a Dios.

En este capítulo, repasaremos qué es la Merkabah, por qué es importante, cómo puede describirse en la lengua vernácula de hoy en día y, por último, cómo se me ocurrió la idea de aprender sobre ella de forma tan positiva. Es una gran manera de comprender la naturaleza de la existencia, la realidad y la relación entre la conciencia y el mundo físico.

Se sabe que la Merkabah representa la evolución espiritual de la conciencia hacia el conocimiento y la iluminación, que conduce a la autorrealización de la verdadera naturaleza de uno como Dios, Creador y Sustentador. También representa una etapa de la evolución espiritual en la que se está más allá de las limitaciones físicas, incluyendo la muerte y el recuerdo. En este punto, su alma se limpia en los cuatro elementos y se alinea con lo que significa estar verdaderamente vivo.

El Merkabah revela el camino a través del cual el yo se fusiona con la Divinidad o la Conciencia Universal. Se trata de una expansión de la conciencia en la que puede ver no solo su propia naturaleza verdadera, sino la verdadera naturaleza de todo lo que le rodea, incluidos todos los universos. Conceptos como las estrellas, las galaxias y los planetas son simplemente reflejos de Dios. Con este conocimiento, usted es capaz de ver a través de cualquier ilusión que se interponga entre usted y esta unidad.

El Merkabah ha sido descrito de muchas maneras diferentes a lo largo de la historia y de las culturas. En la Biblia se le conoce como el anillo de Dios y en la cultura de los nativos americanos como el carro del rey (el Gran Espíritu). En China, se describe como la guadaña cósmica. En el antiguo libro egipcio de Thot, se le llama el libro de la vida. En el Cantar de los Cantares de la Biblia, se le denomina carro de fuego. En el libro del Apocalipsis en la Biblia, se le llama el trono de Dios. Tanto en la Torá como en el Corán, se le llama escalera al cielo o escalera que conduce a Dios. En su forma esotérica, representa el paso entre dos mundos, el mundo de nuestra realidad y existencia física, y el que está más allá de lo físico.

La visión judía de la Merkabah

En el judaísmo, la Merkabah enseña el camino espiritual infinito. La palabra Merkabah tiene su origen en la palabra hebrea "masha'a", que significa "carro", y se utilizaba originalmente en el antiguo Israel para describir un carro montado por Dios. Más tarde, se utilizó como sinónimo del trono de Dios. Como los carros se utilizaban para viajar entre la tierra y el cielo, también se les conocía como "Shaddai". El Merkabah de Dios era un vehículo que llevaba el alma a su destino celestial.

El primer uso de una Merkabah en el judaísmo se produjo en Egipto durante el cuarto milenio antes de Cristo. La primera referencia literaria conocida a un carro real de 7 ruedas se remonta a Enoc, hace aproximadamente 3200 años. Se refería a un enorme vehículo que transportaba el trono de Dios. Los místicos de las religiones judía y cristiana adoptaron el término y lo convirtieron en un símbolo del propio viaje espiritual del hombre desde el mundo físico hasta el cielo. Había siete "puertas" (o "ruedas") espirituales, representadas por las siete estrellas de la constelación de las Pléyades, que podían abrirse mediante una intensa devoción espiritual. La Merkabah era un medio de trascendencia espiritual, que conducía a la consecución de la vida eterna.

El término "alma" se utiliza en muchas escrituras religiosas para describir la verdadera identidad del hombre y su ser espiritual. Esta "alma" no es un cuerpo físico, sino una energía que da forma física a la personalidad y la conciencia individuales. Las almas viajan a través de ciclos sucesivos de reencarnación hasta llegar a su destino final, donde viven en la dicha eterna o pasan una eternidad en el tormento. La Merkabah es un vehículo para que el alma viaje de un plano físico a otro. Trasciende la experiencia humana y permite al hombre percibir a Dios de una manera mucho más profunda.

Para crear una Merkabah, hay que comprender la estructura del alma del hombre, que se compone de siete partes principales:

- Nefesh
- Ruaj
- Nahamoth
- Chayyim
- Neshamah
- Hayyah
- Yehidah

Las siete partes deben estar alineadas al mismo tiempo para trascender el mundo físico.

La **Nefesh** se utiliza para describir la conciencia individual y la autoconciencia de una persona, mientras que la **Ruaj** es el aspecto emocional e intelectual del alma del hombre. La palabra *Ruaj* se traduce literalmente como "viento" y puede verse como la conciencia de un individuo. **Nahamoth** también se traduce como "aire". Representa el estado emocional de la persona, que incluye los deseos y las pasiones. **Chayyim** representa la fuerza vital del hombre, que anima su cuerpo. Es la manifestación física de la conciencia y la parte más elevada de nuestra alma. **Neshamah** es la intuición o la conciencia espiritual de una persona, que incluye la mente superior. Es la chispa divina de una persona dentro de sí misma. **Hayyah** es la conciencia y la energía vital de una persona que existe después de la muerte, cuando el alma abandona su envoltura física y regresa a Dios. Por último, la **Yehidah** representa la chispa divina de Dios dentro de cada persona. Uno puede percibirse a sí mismo como compuesto por una sola neshamah o hayyah, pero en verdad, cada ser humano está compuesto por las siete partes.

La Merkabah debe ser montada desde el estado actual de conciencia del hombre hasta otro estado superior. Es una manifestación física del alma y debe estudiarse con proporciones numéricas para comprender plenamente su significado y función. El camino del alma es una línea dirigida que se mueve "hacia arriba", en relación con su plano de existencia actual, hasta que regresa al reino de Dios.

El Chayyim era el punto más alto de trascendencia en el sistema judío de la Merkabah. En otras culturas, también había nueve niveles entre el cielo y la tierra que había que trascender antes de alcanzar una realidad superior. Algunos textos antiguos también describen sistemas enteros con miles o incluso millones de niveles, que existían en planos por encima de nuestra realidad.

El concepto de la Merkabah no es exclusivo de la religión judía, y otras enseñanzas espirituales antiguas también contenían conceptos similares. Estos mitos y sistemas describían niveles dentro del alma, donde la conciencia de una persona podía trascender su forma física. Muchas otras mitologías contenían mitos similares relativos a los vehículos de sus dioses, que también se llamaban "Merkabah".

Los egipcios desarrollaron un concepto similar sobre su alma, y se llama Ma'at (pronunciado "mat"). Ma'at es una diosa que representa el orden eterno y la justicia. Ella simboliza el principio cósmico de la verdad y la armonía, que existía frente a la barca celestial de Ra o Merkabah. Los egipcios creían que solo a través de Ma'at el hombre podía ascender al cielo, donde podría ser como un dios.

En el budismo, el mismo camino de trascendencia también está presente, y se llama "vyana". Vyana es un vehículo que nos lleva de una vida a otra. Forma parte del alma del hombre, y es lo mismo que "saso" en la antigua India. En el antiguo Egipto, se conocía como "sahu", pero también como "saso", que significa "volar".

Los griegos también se referían a este aspecto oculto del alma del hombre como el carro, o la rueda, de un dios (o diosa). La palabra para carro en griego era "kheiron". El "kheiron" era una imagen del cosmos, que contenía todos los deseos, emociones y acciones del hombre. También se pensaba que el "kheiron" podía utilizarse para cumplir los deseos del hombre en esta vida. El panteón griego representaba varios vehículos que sus dioses utilizaban para alcanzar la trascendencia. Entre ellos se encontraban el carro de ocho ruedas de Zeus y el carro de seis ruedas de Apolo, que eran vehículos habituales entre los antiguos egipcios.

Los elementos y la Merkabah

Una cosa es cierta entre estas diversas interpretaciones. Este símbolo significa un viaje progresivo de autorrealización que se caracteriza por una conciencia mucho más amplia. En la alquimia, el Merkabah es un símbolo de la transformación de su alma de un cuerpo físico a uno inmortal y espiritual. Representa las cinco etapas de la evolución del alma: Tierra, Fuego, Agua, Aire y Éter. El Fuego representa al alma a través de sus pasiones (energía) que se reflejan en esta realidad material al pasar por diferentes fases o ciclos. El fuego anima al alma y le da vida. El Agua es el elemento limpiador del alma que permite el crecimiento de la sabiduría a través de la purificación. El Aire representa las emociones y el espíritu, mientras que el Éter es el elemento espiritual que nos permite trascender nuestra existencia física y autorrealizarnos como seres espirituales.

El símbolo que representa su propia Merkabah personal muestra cómo aprenderá durante su vida a descubrir su propia divinidad y a alcanzar la iluminación uniéndose a Dios. Su alma experimentará diferentes procesos de evolución a lo largo del tiempo, que le llevarán a vivir experiencias profundas de los diferentes aspectos de su verdadera naturaleza.

¿Por qué debo activar mi Merkabah?

Cuando activamos el Merkabah, facilitamos la ascensión de nuestra conciencia a niveles superiores de conciencia. Esto puede ayudarnos a progresar en nuestro crecimiento espiritual y a sanarnos tanto física como emocionalmente.

Esta estructura está diseñada para navegar y viajar a través, así como más allá, de diferentes dimensiones. A través de este vehículo, estas energías se ponen a nuestra disposición con el propósito de la autorrealización y el crecimiento espiritual. Cada vez que lo activamos con éxito, experimentamos estados de conciencia ampliados que pueden mejorar nuestro nivel vibratorio general. A su vez, esto aumenta la intensidad de nuestras capacidades curativas naturales, que pueden beneficiarnos a nosotros mismos y a los demás.

Una vez que empecemos a activar el Merkabah, tenemos que desarrollar nuestra capacidad física para mantener su forma mediante el movimiento y solo el movimiento. Cuando podemos hacer esto, moviéndonos de una manera determinada, podemos tener acceso dentro de nuestra conciencia para pasar a más planos físicos de existencia. Este proceso de entrar en un nuevo plano nos permite lograr maravillas más allá de lo que normalmente podríamos conseguir. En realidad, dejamos atrás nuestro cuerpo físico y entramos en el plano vibratorio superior de otra dimensión, utilizando el Merkabah como vehículo entre estas dos realidades. Esto nos permitirá la oportunidad de hacer cosas que están físicamente más allá de nuestra capacidad normal.

Técnicas de activación del Merkabah

Recuerde que el Merkabah es un vehículo para la conciencia. Es importante moverse despacio, con reverencia y respeto por el Merkaba, tratándolo igual que a su propio cuerpo. No es algo a lo que deba lanzarse por descuido. Teniendo esto en cuenta, he aquí algunas ideas:

Paso 1: Siéntese en una posición cómoda con las piernas cruzadas, los pies apoyados en el suelo y las rodillas dobladas cómodamente. La columna vertebral debe estar recta y la respiración debe fluir por el cuerpo. Esta posición no debe ser rígida ni estar grabada en piedra. Es mejor moverse si es necesario que estar incómodo o tenso.

Paso 2: Inspire profundamente por la nariz y espire por los labios ligeramente separados. Concéntrese en una de las cuatro esquinas (la que sea apropiada para usted) e inhale profundamente, llenando los pulmones y expandiendo el pecho a la vez que vacía la mente. Atraiga toda su atención hacia esa parte de usted y sienta como si estuviera recibiendo una transformación o curación dentro de esa zona. Permita que esta nueva vibración le llene por completo. Mientras hace esto, conecte con las intenciones, visualizaciones o afirmaciones que se aplican a esas áreas dentro de usted. Imagínese una lluvia de luz dorada en la parte del cuerpo en la que se está enfocando.

Paso 3: Mientras se concentra en esta curación y transformación interior, utilice sus manos. Junte las palmas de las manos y colóquelas suavemente en el suelo debajo de usted. Sienta la energía que fluye a través de las puntas de sus dedos cuando se encuentran con el suelo. Permita que esta energía fluya hacia arriba en sus manos, a través de sus brazos y hacia su cuerpo. Esto puede hacerse de forma muy suave y lenta o agitando o moviendo los dedos. En cualquier caso, imagine que toda esta energía se canaliza hacia la parte de usted que necesita curación o transformación.

Paso 4: Ahora, visualice el Merkabah alrededor de su cuerpo. Esto puede visualizarse como una luz brillante en forma de estrella con múltiples puntas o como simples círculos. Añada a esta visualización cualquier aspecto que le dé más confort durante este ejercicio, como ángeles o guías espirituales. Tómese su tiempo para explorar cada parte de sí mismo y ver lo que le parece correcto. Su Merkabah atraerá energía hacia él desde muchas fuentes, por lo que es importante que dedique algún tiempo a asegurarse de que está manifestando exactamente lo que quiere y nada más.

Enhorabuena. Acaba de utilizar el Merkabah para manifestar algo en su entorno físico. Esta es una gran forma de empezar a experimentar el poder del Merkabah en su interior. Es posible combinar cualquier forma de visualización o práctica energética que utilice con esta técnica de activación. Por ejemplo, puede descubrir que se siente más cómodo mirando una determinada imagen al hacer esto o que ciertos colores o sonidos le ayudan a conectar mejor con lo que está creando en su mente. Nota rápida: Es importante no mezclar diferentes tipos de prácticas de sanación energética mientras se utiliza el Merkabah. Pueden ser muy poderosas, pero también muy distractoras cuando se utilizan juntas.

Capítulo 7: Formas de vida

No se puede negar que la naturaleza es increíble y, a veces, desconcertante. Es habitual encontrar un rasgo familiar en un paisaje que de otro modo sería extraño, como ver la misma semilla o el mismo huevo como una forma familiar en la geometría o la biología. En este capítulo analizaremos las siguientes formas:

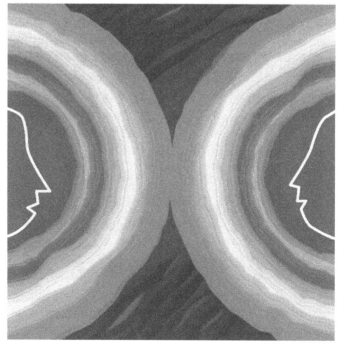

- La semilla de la vida
- El huevo de la vida
- La flor de la vida
- El árbol de la vida
- El fruto de la vida
- La red de la vida

La semilla de la vida

La semilla de la vida es uno de los símbolos más antiguos del mundo. Se remonta al menos a 12.000 a. C. y se ha encontrado entre las piedras Clovis. El símbolo se crea simplemente dibujando tres esferas con seis puntas, formando un triángulo en su interior. Algunos creen que la semilla de la vida representa los siete días de la creación o que es una forma de representar la capacidad de Dios de crear vida de la nada. Hoy en día, para la mayoría de la gente, el significado se refiere más a que la vida está interconectada con la muerte y el renacimiento. Si alguna vez ha encontrado el símbolo en obras de arte religiosas o en tatuajes, es probable que este significado sea el que intentan representar. Algunos creen que utilizando este símbolo una y otra vez a lo largo de su vida, pueden alcanzar la iluminación espiritual.

A lo largo del tiempo, se han desarrollado muchas ideas diferentes sobre este símbolo. Algunos lo ven como un ojo, que representa el ojo de Dios que todo lo ve. Otros lo ven como un mapa del universo. Dos posibles orígenes del símbolo son "el primer hombre" y "el primer hombre inteligente". En los tiempos modernos, algunas personas incluso han utilizado el símbolo para expresar su amor por la vida. Al repetirlo, intentan transmitir la idea de que su amor por la vida nunca terminará (al igual que su constante renacimiento). Esto es especialmente popular en el arte del tatuaje.

Independientemente de lo que crea sobre el símbolo, una cosa es innegable. Hay una razón por la que este símbolo ha sobrevivido durante tanto tiempo. Ha existido durante miles de años y todavía no entendemos del todo su origen o significado. No hace falta mucho para darse cuenta de que significa algo más que un simple dibujo. La semilla de la vida también se asocia en gran medida con los masones y los caballeros templarios.

Encontrar la semilla de la vida en la naturaleza

El ejemplo más evidente es la molécula de ADN, que lleva las instrucciones para los organismos vivos y tiene forma de doble hélice -dos espirales entrelazadas- con la misma forma que la semilla de la vida. Sorprendentemente, también podemos encontrar este símbolo en la naturaleza. Se puede ver en las piñas y las cabezas de los girasoles, en las telas de araña y en los cristales de las rocas. ¿Qué tienen todos ellos en común? Todos son símbolos de renacimiento y nuevos comienzos. La naturaleza parece utilizarla para marcar lugares importantes para que encontremos o veamos pistas sobre cómo podemos vivir mejor la vida.

Si da un paseo por nuestro mundo, verá la semilla de la vida a su alrededor si sabe qué buscar. Hay sucesos naturales que se ha visto que tienen un vínculo con el símbolo, pero también es posible que lo encuentre en otra parte. He aquí un pequeño ejercicio, intente encontrarlo en objetos cotidianos, por ejemplo, los patrones de un balón de fútbol o una foto de una galaxia. ¿Puede encontrar ejemplos de este patrón en la naturaleza? ¿Y en una hoja o una flor? ¿El cuerpo humano? ¿Las nubes? ¿Los copos de nieve o los granos de arena de una playa? Hay muchos ejemplos para ver. Solo tiene que buscarlos.

Utilizar la semilla de la vida

La semilla de la vida es un símbolo antiguo que ha resistido la prueba del tiempo a pesar de que se sabe poco sobre sus orígenes. Esto significa que debe haber algo en su mensaje que resuene en nosotros. Se dice que si puede encontrar la "semilla" en su vida, estará más cerca de encontrar la verdadera felicidad. Como todos somos únicos, todos tenemos respuestas diferentes sobre lo que significa este símbolo para nosotros. La mejor manera de resolver este misterio es mirar hacia dentro. ¿Qué cree que significa? Para averiguarlo, empiece por meditar sobre el símbolo y lo que significa para usted.

La Semilla de la Vida se puede trazar con la yema del dedo desde el punto central en dirección al exterior. Esto se conoce como trazar el camino de la evolución en la semilla. Empezando por usted mismo en el centro, trace una línea ascendente hacia una estrella en la parte superior que representa la creación. El camino de la evolución desde ahí es hacia afuera, hacia la luz, que representa el plano espiritual. El último punto exterior es el que encontrará en la naturaleza, símbolo de la vida que prospera en este plano.

La Semilla de la Vida también puede utilizarse como herramienta para ayudarle a mantenerse firme en momentos de tensión y a adaptarse mejor a los cambios. Por ejemplo, cuando las cosas empiecen a descontrolarse en el trabajo, o incluso en su vida personal cuando las cosas empiecen a ir mal, tómese un momento para trazar un dedo alrededor de la semilla.

El huevo de la vida

El huevo de la vida es un símbolo que utilizaban los antiguos griegos, egipcios y lemurianos. La idea era que la vida podía descubrirse en muchos niveles diferentes de nuestro planeta: en el suelo, en las plantas y los árboles, o incluso en los animales.

La forma de huevo puede haber sido elegida porque es un diseño icónico utilizado en toda la naturaleza, con un notable número de criaturas vivas que poseen una o más formas similares. También se ha sugerido que la forma del huevo se asoció con su significado como resultado de los sonidos de "timbre" que hacen las aves que anidan al romper sus huevos.

El huevo de la vida también representa el renacimiento, el crecimiento y la regeneración. Dado que la forma también simboliza el universo mismo, el huevo de la vida se ha utilizado como símbolo que representa la iluminación. Se dice que cuando uno alcanza la iluminación en su interior, debe romper la cáscara de su propia ignorancia y experimentar finalmente la realidad tal y como es. Esto solo puede ocurrir cuando deja atrás sus antiguas creencias y llega a comprenderse a sí mismo como parte del mundo. Solo entonces alcanzará la verdadera comprensión y sabiduría.

Como transición de un nivel del ser a otro, la forma del huevo se asocia a menudo con ideas relacionadas con la transformación. Esto puede verse en las primeras obras de arte que representan el cielo como un objeto con forma de huevo cuya cúpula está sostenida por cuatro pilares que representan los cuatro elementos: viento, tierra, fuego y agua.

Encontrar el huevo de la vida en la naturaleza

Se pueden encontrar formas naturales de la forma de huevo en todo el mundo natural. Esto incluye la flora, la fauna y las formaciones geológicas. La forma de huevo fue utilizada por los antiguos egipcios en su escritura jeroglífica y puede encontrarse en varias flores, como las rosas y los lirios. El caracol común de estanque de jardín recuerda la forma de huevo en la naturaleza a través de su cáscara en forma de huevo, que utiliza para protegerse de los depredadores. Cuando los peces de colores nacen, esta misma forma se refleja en su cuerpo. Los huevos de oro son una metáfora de la sabiduría, y los antiguos filósofos chinos, como Lao Tzu, subrayaron su importancia.

Utilización del huevo de la vida

El huevo de la vida puede utilizarse como objeto de meditación para explorar los misterios de la vida. También puede utilizarse como símbolo para pasar de un nivel del ser a otro, donde hay muerte y luego renacimiento. También puede utilizarse para ayudar a reforzar la confianza y la creencia en uno mismo viéndose como si hubiera nacido de un huevo.

Siéntese en meditación e imagine que el huevo de la vida se cierne sobre su cabeza, irradiando una luz blanca y pura que le baña. Sienta la conexión que el huevo establece entre usted y el universo. Dese cuenta de que usted está formado por esta forma, al igual que los demás a su alrededor y el resto del mundo. Hacer esta meditación le ayuda a darse cuenta de que sus problemas no son tan graves como parecen y le sitúa en un lugar en el que se da cuenta de que puede manifestar cualquier solución que desee. Imagínese una escena que implique que su deseo se ha hecho realidad, desarrollándose ante usted. Imagine que la luz del huevo infunde cada parte de esta escena que se desarrolla en el ojo de su mente. Deje que le llene de alegría y conocimiento, y luego salga de ese estado meditativo dando las gracias.

La flor de la vida

La flor de la vida es en realidad una de las formas geométricas más sencillas que se conocen. También es uno de los símbolos más profundos de la historia de la humanidad. El símbolo se ha encontrado en todo el mundo, en la cerámica, en obras de arte antiguas, en las paredes y techos de los templos. Incluso puede verse en algunos edificios de más de 10.000 años de antigüedad.

La flor de la vida consiste en siete círculos superpuestos alrededor de un círculo central. Hay dos anillos superpuestos dentro de este círculo central que crean 12 círculos más pequeños dentro del grande, 6 en la parte superior y 6 en la inferior. De estos 12 círculos más pequeños surgen otros seis pequeños en tres niveles diferentes dentro de él. Y del círculo más exterior surgen otros seis círculos pequeños en tres niveles diferentes.

Lo sorprendente de este símbolo es que puede crearse utilizando solo círculos, y está hecho enteramente de números enteros. La relación entre la circunferencia de un círculo y su diámetro (su radio) se denomina proporción áurea o media áurea, y cuando esta proporción se utiliza para construir una serie de círculos superpuestos de esta forma tan particular, el resultado es la flor de la vida.

Los antiguos egipcios utilizaban la decoración de la flor de la vida en las tapas de los sarcófagos y para adornar las paredes de los templos. Se cree que esto pudo deberse a que creían que la flor de la vida era una puerta a otras dimensiones. Uno de los usos más llamativos de este símbolo se encuentra en el Palacio de la Alhambra de Granada, España, que fue construido en 1221. Cada uno de los azulejos de este palacio contiene una imagen bellamente elaborada de la mitología y la pintura árabes, y muchos de ellos contienen la flor de la vida.

Encontrar la flor de la vida en la naturaleza

La flor de la vida puede encontrarse en la concha del nautilus, en los cristales monoclínicos y también en la forma de las alas de las mariposas. También puede encontrarse en ciertas disposiciones geométricas de los átomos en un cristal (que se denominan "cristales periódicos") o en ciertas formas geométricas del ADN y el ARN.

Algunos científicos creen que el patrón de la flor de la vida es un hilo común que conecta a todos los seres vivos, incluido el ser humano. Dicen que desempeña un papel en la determinación de cómo responderán los organismos a las tensiones ambientales y que esta "arquitectura biológica" es probablemente más importante que la mente humana. En cierto sentido, la flor de la vida está en todas partes, incluso dentro de nosotros.

El uso de la flor de la vida

La flor de la vida se ha utilizado durante siglos para ayudarnos a simplificar nuestra vida y mejorar nuestra salud, felicidad y prosperidad. El significado simbólico que hay detrás de cada círculo del patrón es bastante profundo, pero veamos lo que significan en un sentido práctico. El círculo central representa el mundo material y todos sus problemas. El primer anillo representa el mundo material y todas sus posibilidades. Piensa en todo lo que se puede imaginar, soluciones a los problemas, abundancia, felicidad y amor. El segundo anillo representa cómo pensamos y sentimos sobre nosotros mismos, nuestros pensamientos de autoconfianza o falta de ella, que hacen que las ideas de fracaso o éxito se manifiesten en nuestras vidas. El tercer anillo representa nuestro "yo único", la parte de nosotros que nos hace ser quienes realmente somos.

El cuarto anillo representa el lugar al que pertenecemos como individuos y como especie colectiva: dentro de nosotros mismos o con los demás. El quinto anillo representa cómo pensamos y sentimos acerca de los demás, por ejemplo, qué tipo de personas son, cuán honestas son, si son dignas de confianza o no, si es bueno estar con ellas o no, etc. El sexto anillo es lo que pensamos y sentimos sobre la vida en general, como por ejemplo, qué sentido tiene vivir, si merece la pena estar vivo o no, si nuestra vida tiene sentido o no, etc.

El séptimo anillo es la parte de nosotros que está conectada con el resto de la creación. Es nuestra conexión con la naturaleza. El octavo anillo representa lo que es posible o imposible. El noveno anillo simboliza lo que ya ha ocurrido y el pasado, que no podemos cambiar. El décimo anillo se suele denominar "representación de todos los futuros posibles" y no siempre es fácil de entender cuando se mira por primera vez porque parece una cadena interminable de acontecimientos formada por todas las combinaciones posibles de hechos y posibilidades futuras.

Todos los círculos tomados individualmente y vistos como sistemas separados serían un acto de pensamiento diseñado por el creador para mantenernos ocupados. El hecho de que todos estén conectados utilizando el mismo patrón es una representación del nivel en el que nuestros pensamientos organizan no solo nuestras propias vidas, sino todo el tejido de la existencia. Como puede ver, los diez anillos representan diferentes aspectos de la vida y están interconectados, aunque no siempre lo estén directamente. Podemos contemplar estos anillos y sus significados en la meditación.

El árbol de la vida

El árbol de la vida es un diseño que representa los distintos niveles interconectados de conocimiento y experiencia en la cultura humana. También es un árbol que se ha utilizado para simbolizar el ciclo humano de nacimiento, muerte y renacimiento. Aparece en muchas y variadas culturas del mundo, así como en algunos diseños modernos.

El diseño del árbol de la vida se ve más comúnmente como una estructura de tres o cinco niveles. La versión de tres niveles suele representar la vida en la Tierra, mientras que la versión de cinco niveles suele representar el cielo, el purgatorio, el paraíso terrenal y el infierno. El término también puede utilizarse de forma más amplia para representar la estructura de todas las cosas de la existencia, tanto físicas como espirituales.

Muchas culturas y civilizaciones tienen un diseño de árbol de la vida en posición central o primaria dentro de su iconografía religiosa. La versión de tres niveles del árbol de la vida se encuentra en culturas como la mitología nórdica, la mitología maya y la mitología azteca. La versión de cinco niveles también se encuentra en muchas culturas diferentes. Aparecen en la mitología egipcia, asiria (babilónica) y celta. La explicación de la existencia del árbol de la vida varía de una cultura a otra, pero hay algunos temas comunes que aparecen una y otra vez a través de la historia del mundo. La interpretación más común es que simboliza la interconexión entre todas las cosas, nada existe aislado de otra cosa.

Encontrar el árbol de la vida en la naturaleza

La mayor parte del simbolismo del árbol de la vida en el mundo moderno es puramente mítico. Sin embargo, tiene una base en la realidad. El árbol de la vida, aunque no necesariamente se represente siempre como una estructura de tres o cinco niveles, puede encontrarse a menudo en entornos naturales. La versión más común de él es un roble, cuyas ramas y raíces pueden verse como representación de todos los niveles interconectados que se ven en muchas otras manifestaciones. El roble es más famoso por su larga vida y su gran fuerza. Estos dos elementos se asocian con la experiencia y la sabiduría a largo plazo. Esto lo convierte en una elección obvia para que muchas culturas lo utilicen como representación de su árbol de la vida simbólico.

Cómo utilizar el árbol de la vida

El árbol de la vida es un símbolo poderoso que puede utilizarse de muchas maneras. La forma más común del árbol de la vida, la versión de tres o cinco niveles, puede utilizarse como recordatorio de que usted siempre está atado a los demás y nunca existirá fuera de la conexión con ellos. También puede recordarle que sus experiencias en la vida son, en última instancia, las que conforman lo que usted es y que, aunque algunas puedan ser dolorosas o desagradables, no dejan de ser una parte integral de su experiencia como persona.

El árbol de la vida, tal y como se encuentra en la naturaleza, puede observarse para inspirar paz y calma, o puede analizarse en busca de sus significados más profundos. La versión de tres niveles puede utilizarse como recordatorio de que es importante tomarse tiempo para disfrutar de todas las experiencias que la vida le brinda y que no hay atajos. La versión de cinco niveles puede utilizarse como recordatorio de que la cantidad de dolor o sufrimiento que experimente en la vida depende en última instancia de usted.

El fruto de la vida

Uno de los símbolos más antiguos es el del fruto de la vida. Conozca este poderoso símbolo de la geometría sagrada y su importancia para comprender el camino de su propia vida, y se alegrará de haberlo hecho. El fruto de la vida suele ser un hexágono que puede verse dibujado o construido a partir de seis triángulos, que representan los seis días de la creación. También puede verse como una estrella de seis rayos, un signo zodiacal de seis líneas o un plano de su vida.

La fruta de la vida también se llama granada y desempeña un papel importante en la mitología griega. La granada se considera un símbolo de fertilidad. Perséfone comió seis granos de granada y acabó atada a Hades -el guardián del inframundo-. El fruto de la vida se considera generalmente el símbolo de una vida sana y fructífera. Por eso aparece en tantas ilustraciones médicas que muestran el crecimiento de un niño desde su nacimiento hasta la edad adulta, representando el ciclo de la vida. Algunas personas también creen que tiene un significado religioso y se ha utilizado en rituales durante miles de años.

Encontrar el fruto de la vida en la naturaleza

Es uno de los patrones conocidos como fractales. El patrón del fruto de la vida se ve en la naturaleza, principalmente en las plantas y los árboles. Está formado por una forma fractal que consiste en tres círculos colocados uno dentro del otro. El círculo más exterior representa el tronco, los círculos interiores representan las ramas y el círculo central representa las hojas o los frutos.

Los patrones de los frutos de la vida se pueden encontrar también en la mayoría de las flores. El ejemplo más común de una flor con el patrón de la fruta de la vida es la rosa. Esta flor está compuesta, de hecho, por cinco conjuntos de pétalos en forma de tres círculos. Estos pétalos están compuestos por patrones de tres cuellos, y en su centro se encuentra el patrón de la fruta de la vida.

Utilización del fruto de la vida

Puede utilizar este patrón en la meditación para hacer que algo suceda. Piénselo de esta manera. Usted planta una semilla, y esta germina y le da un montón de frutos para disfrutar. Del mismo modo, puede meditar en este patrón para ayudarle a cosechar inmensas recompensas de cualquier trabajo en el que esté centrado en su vida en ese momento. Puede dibujar este patrón en su escritorio o mantener un cuadro del mismo cerca para centrarse en él mientras piensa en las cosas que quiere lograr.

Al igual que una semilla produce múltiples frutos con múltiples semillas en cada uno de ellos, lo mismo ocurrirá con lo que usted trabaje para manifestar. Permita que este patrón le recuerde la generosidad del universo y la inevitabilidad de una cosecha exitosa. Este es un patrón útil para meditar siempre que empiece a cuestionar si sus esfuerzos valdrán la pena al final.

La cuadrícula de la vida

La cuadrícula de la vida es la contrapartida masculina del patrón de la flor de la vida. Es una figura geométrica utilizada en muchas culturas y religiones para simbolizar el mundo y la vida humana. En la geometría sagrada, representa una representación bidimensional de la Tierra como un círculo, similar a la de una esfera armilar o un globo celeste. La retícula se encuentra en lugares como edificios, templos, bóvedas y similares, pero estos no son su verdadero hogar; en cambio, puede encontrarse en cualquier lugar en el que la naturaleza muestre un crecimiento resultante de patrones estacionales o procesos genéticos. Aunque estas ideas puedan parecer abstractas a primera vista, sirven para anclarnos en nuestro momento existencial personal. Nuestras vidas se desarrollan en el marco del tiempo y el espacio. Nuestras vidas individuales son momentos breves que pueden tener sentido si los cultivamos adecuadamente. La cuadrícula es un mapa en el que podemos realizar nuestro propio potencial y experimentar el sentido de nuestras vidas.

En la geometría y la naturaleza, el círculo representa la unidad y la integración. Por eso los círculos se encuentran tan a menudo en el centro de los templos sagrados, simbolizando la totalidad de la vida. En otras palabras, un círculo puede conectar cualquier cosa y todo. La geometría y la naturaleza han dado forma a nuestras vidas creando la cuadrícula de la vida, que puede verse y sentirse en todo nuestro mundo.

Encontrar la cuadrícula de la vida en la naturaleza

La cuadrícula de la vida se encuentra en muchos lugares, como las montañas, los petroglifos, la arquitectura y el cuerpo humano. La gente tiende a buscarla primero en los lugares más obvios, pero si sigue buscando, la encontrará en los árboles y las plantas que crecen según los principios de la cuadrícula de la vida. Estas son solo algunas de sus muchas apariciones.

La cuadrícula de la vida también puede encontrarse en el cerebro humano. La estructura del cerebro humano se ha comparado con un multiverso, con cada área como un lugar bidimensional que existe de forma independiente en su propio plano. Este sistema se denomina sistema del lóbulo límbico, que se ha descrito como un holograma o plano de recuerdos. La cuadrícula obliga a estos planos a interactuar entre sí de una manera muy específica que da lugar a un cierto tipo de integridad, armonía y racionalidad. Además de estos lugares, podemos esperar encontrar esta forma en la geometría sagrada porque representa la unidad y la totalidad.

Utilización de la cuadrícula de la vida

La cuadrícula de la vida puede utilizarse para conectar varios aspectos de nuestra vida. Conecta nuestro ser mental, físico y espiritual. Nuestra conexión con la naturaleza también está vinculada a esta experiencia. Podemos utilizar la cuadrícula de la vida para sentirnos conectados y completos en nuestras vidas. Esta experiencia puede hacerse posible creando una representación de la cuadrícula de la vida en su casa colgando cuadros u objetos sagrados o plantando flores o árboles que se sumen para formar un patrón superpuesto en sus paredes o ventanas, dándole así una expresión visual de esta forma.

Algunas de las imágenes simbólicas más comunes en la geometría sagrada son los triángulos entrelazados y los cuadrados. Los triángulos entrelazados representan la unión del cielo y la tierra. La tierra está representada por un cuadrado y el cielo por un triángulo. Este símbolo capta la idea de que todos los seres vivos están conectados. También es un gran arte del tatuaje. También puede utilizarlo como parte de un ritual para conectar con su poder superior o con la naturaleza, y también puede utilizarse para conectar con otras personas. Otra forma de utilizarlo es en la meditación o la oración.

Capítulo 8: Otras formas y símbolos sagrados

Las formas, los símbolos y las imágenes siempre se han utilizado como formas efectivas de expresarnos, nuestra espiritualidad y nuestras creencias. También se utilizan en la meditación o se llevan como joyas. Su forma es importante, pero también lo es el significado que hay detrás de ellos. Este capítulo ofrece una explicación detallada de los significados espirituales y simbólicos que hay detrás de algunas fascinantes formas sagradas como la cruz, la espiral, el mandala, la estrella de David y muchas más.

La espiral

Las espirales son un símbolo popular en muchas culturas diferentes, a menudo utilizadas para mostrar la vida pura y eterna que emana de Dios. Es una forma mística que mira hacia el futuro y espera crecer hacia la perfección, al tiempo que reconoce a los seres queridos que han fallecido.

Aunque la mayoría de la gente está familiarizada con el significado natural de las espirales, también hay un significado espiritual en ellas. Desde los símbolos egipcios encontrados en las momias hasta los objetos vistos en la antigua Grecia, las espirales pueden proporcionar pensamientos profundos sobre el amor eterno y la vida. Para los antiguos, el camino de la vida era una espiral. Comenzaba en el nacimiento, se desarrollaba en la edad adulta y terminaba con la muerte.

La espiral también se utilizaba en los rituales religiosos de muchas culturas diferentes, como la antigua Grecia, las tribus nativas americanas y las culturas aztecas de México. La espiral, que era un símbolo de alegría y simbolizaba la vuelta a la vida, se utilizaba en ceremonias como las bodas y la llegada de la primavera. En los tiempos modernos, las espirales se han utilizado como símbolo del infinito porque su forma puede contarse infinitamente en ambas direcciones desde cualquier punto de su circunferencia, lo que simboliza la vida que nunca termina. El símbolo de la espiral también puede representar una segunda oportunidad en la vida. La primera oportunidad en la vida fue en el vientre materno, la segunda en la infancia y la tercera es cuando dejamos nuestra huella en esta Tierra.

La cruz

La cruz es uno de los símbolos más significativos del mundo. Originada en el cristianismo primitivo, la cruz se estableció como símbolo de salvación y vida eterna a través de la crucifixión y muerte en cruz de Cristo. Aunque a lo largo de la historia y de la literatura se atribuyeron muchos significados diferentes a este símbolo, del simbolismo cristiano medieval destacan dos temas específicos: la salvación y la resurrección. Por estas dos razones, la cruz es un símbolo tan popular hoy en día.

A lo largo de la historia, se han atribuido múltiples significados a la cruz. Se ha utilizado como un dispositivo de ejecución adecuado, ha tenido fines medicinales y se utilizó como símbolo religioso para representar la salvación. El mundo actual ha adoptado el simbolismo de esta importante reliquia antigua para crear joyas y tatuajes con fines curativos, religiosos y estéticos.

Otro tipo de cruz es la cruz celta. Es una cruz latina con extensiones, normalmente al final de cada brazo, formando una "C" o "+". La extensión simboliza la idea de que el reino de Dios llega más allá de este mundo y al siguiente. Cuando se coloca en las lápidas, representa la vida eterna en el cielo. Se encontraban a menudo en Irlanda, donde se creía que era un símbolo druida que representaba la esperanza de una vida después de la muerte y la armonía entre la vida después de la muerte y antes del nacimiento.

La cruz es uno de los símbolos más antiguos que existen, con un origen antiguo anterior a la era cristiana. Apareció con frecuencia en muchas culturas mucho antes de Cristo, incluyendo varias religiones egipcias y fenicias. Los antiguos egipcios utilizaban el símbolo para representar la regeneración y la vida eterna. En la cultura fenicia, representaba la vida y la resurrección, además de utilizarse como una forma de culto solar asociada a la divinidad y la realeza.

El mandala

Un mandala es un dibujo espiritual y simbólico utilizado en muchas religiones y tradiciones espirituales. Revela un universo mitológico o fenomenal. El uso de los mandalas puede considerarse un método para cultivar la concentración en el yo o en el mundo interior.

En el budismo, un mandala se utiliza para explicar la naturaleza de los reinos dentro de la experiencia humana, donde los seres renacen según sus acciones en esta vida. En el hinduismo (y en otras creencias), también puede simbolizar un universo infinito que se asemeja a un disco que flota en el espacio con el monte Meru en su centro, de donde todo procede y al que se vuelve después de la muerte. El jainismo representa un átomo que "no tiene principio" y "no tiene fin".

La palabra mandala es una palabra sánscrita que significa "círculo sagrado". Originalmente el término se refería al círculo de una deidad o de un sacerdote, pero esta forma circular evolucionó naturalmente hacia un cuadrado. Los mandalas se encuentran habitualmente en las religiones del budismo, el hinduismo y el jainismo, pero también están presentes en otras partes del mundo, como la pintura de arena de los navajos.

Un mandala puede considerarse una imagen, un diagrama o una representación simbólica de ideas, y puede utilizarse de varias maneras. A menudo se emplea como ayuda para la meditación y la realización espiritual, con el fin de limpiar el lugar o el tiempo, en el culto tántrico o como forma de arte. Un mandala puede construirse a mano o por ordenador, sobre papel o tela, en plano o en 3D, para la contemplación privada o la exhibición pública. Se hacen con arena, arena pintada, arena teñida, madera tallada y piedra. Es un símbolo increíblemente versátil.

El mandala ha demostrado ser muy útil para superar los obstáculos físicos, mentales, emocionales y espirituales presentes en la vida. Se utiliza para contemplar - para conseguir una mejor comprensión de uno mismo, de su mente, de sus acciones o incluso de ciertas situaciones. La visualización le ayudará a ver lo que hace su mente y cómo se comporta. La práctica de ver todas las partes de su psique como un objeto externo es algo que idealmente debería realizar cada día todo el mundo.

Para los budistas hindúes, también representa el Universo. Este simbolismo enlaza con la idea de que todo lo que vemos en el mundo existe en diferentes niveles o capas, desde la materia hasta el cuerpo y la mente. Una imagen vista como un cuadro completo puede ser interpretada de forma diferente, ya que cada capa se revela.

La estrella de David

En la fe judeocristiana, la estrella de seis puntas se conoce como estrella de David, y es un símbolo que se ha utilizado para representar tanto el judaísmo como el cristianismo. Los orígenes de este símbolo sagrado pueden atribuirse al rey David del Antiguo Testamento. Representado en su escudo, se dice que David utilizó este emblema para derrotar a sus enemigos, concretamente a Goliat.

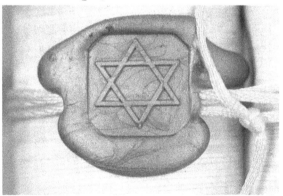

La estrella de David ha sido conocida con muchos nombres diferentes a lo largo de la historia. A lo largo de la historia americana temprana, la estrella de seis puntas era conocida como "Sello de Salomón", y esto se popularizó con la masonería. En el judaísmo, la estrella de seis puntas se conoce como el "Escudo de David" o Mogen David, que significa el escudo del amado.

El símbolo ha llegado a asociarse especialmente con el judaísmo porque el rey David era judío y estableció Jerusalén e Israel como un reino tras ser ungido por Dios. La estrella simboliza el "Reino de

David" y también la "línea davídica" de reyes desde el rey David hasta Jesús. Además, la estrella de seis puntas representa muchos aspectos y cualidades de Dios, incluyendo los seis días de la creación y la redención a través del Hijo.

La estrella de seis puntas también desempeñó un papel importante en el Antiguo Testamento. Fíjese bien en la primera letra de cada capítulo del libro del Apocalipsis y verá que cada letra está escrita dentro de una estrella de seis puntas. Esto indica que el libro trata sobre Jesús y su reino venidero en la Tierra.

Además, la estrella de seis puntas ha sido utilizada por el pueblo judío a lo largo de la historia para identificarse con su herencia judía. Durante el Holocausto, se les obligaba a llevar emblemas en la ropa para que se les identificara como judíos. La estrella de David se utilizaba habitualmente como emblema que simbolizaba el judaísmo.

En la historia, la estrella de seis puntas también se asoció con el islam, el cristianismo y la masonería. El significado del símbolo varía según la tradición religiosa con la que uno se identifique. Para los musulmanes, por ejemplo, la estrella representa una "mezquita musulmana" o "Kaaba". En el cristianismo, la estrella de seis puntas representa la llegada del Reino de Dios a la Tierra. En la masonería, la estrella de seis puntas representa la "felicidad perfecta".

El Toro

El toro puede considerarse como una dona. El agujero de la dona es lo que le confiere una interesante propiedad. Cada punto del borde exterior de la dona se encuentra también en un borde interior. Esto significa que si usted recorre con sus dedos la circunferencia, acabará justo donde empezó.

Al igual que la dona, el toro tiene un fondo plano y un agujero en el centro. También tiene dos bordes planos alrededor de su eje largo. El borde plano de un lado se llama antipodal, del griego anti, que significa "opuesto". El otro borde plano se llama epipolar, y es exactamente lo contrario. Si se encuentra en uno de estos bordes y gira en el sentido de las agujas del reloj alrededor de ellos (como si "caminara" a lo largo del toro), acabará de vuelta al punto de partida cuando llegue al otro borde. Por lo tanto, se puede girar indefinidamente sin salir nunca de sí mismo. Es un sólido que llena el espacio.

Su simbolismo se relaciona con el concepto de repetirse y dar vueltas en círculos, o lo que llamamos "estar atrapado en la rutina". Desde este punto de vista, el toro puede tomarse como un símbolo del ciclo de la vida, de la condición humana y de nuestra propia evolución. Los humanos están confinados en sus cuerpos físicos, y se puede decir que estamos dotados de una mente y un espíritu que trascienden este plano físico. No todos somos conscientes de nuestra realidad interior y exterior tan bien como deberíamos, pero al intentar conseguir esta comprensión, expandimos nuestra conciencia hacia el mar del infinito y la eternidad.

También se dice que el toroide representa el sistema reproductor femenino o el útero. Es interesante que muchas partes de la anatomía femenina se describan en realidad como "toroidales", por ejemplo, las trompas de Falopio (por donde los óvulos fecundados pasan de los ovarios al útero); los conductos biliares (es como una rosquilla alrededor del intestino); y el útero (un órgano con forma de rosquilla en el que el embrión se adhiere a la pared del útero, y donde se desarrolla la placenta). No vemos estas cosas como algo simbólico, pero lo son. Muchos artistas y filósofos han utilizado el toro como símbolo en sus obras. En los tiempos modernos, ha sido utilizado por algunos para simbolizar cómo la mente puede quedar atrapada por falsos valores como el materialismo y el consumismo.

Nudos

Un nudo es un entrelazado o trenzado de un trozo de hilo con otro para formar un patrón. El símbolo de los nudos (también conocido como trenza) representa este entrelazamiento a través de dispositivos como los diseños de volutas y follajes. Los antiguos celtas utilizaban los nudos como símbolo de su magia. Por ejemplo, el arte celta de los nudos se utilizaba principalmente para la protección. El uso de líneas retorcidas y tallos flexibles implicaba las palabras "que así sea", que aun hoy se asocian al nudo. Los celtas también utilizaban los nudos para decorar su cuerpo, como los tatuajes y los anillos. Por ejemplo, un anillo con forma de nudo simbolizaba la eternidad o la fidelidad.

Los nudos eran también uno de los muchos objetos asociados a la magia y la brujería. La escalera de la bruja aparece en muchas historias que implican a las brujas y al encantamiento. Uno de los usos más comunes de los nudos es en forma de joyas. Se utilizan para decorar collares, pulseras, anillos, pendientes, etc., con intrincados diseños. Normalmente, estos nudos están formados por un nudo en forma de ocho. El símbolo popular de un anillo de boda también está formado por la figura del ocho. Suelen llevarse solas, en contraposición a las alianzas de boda que eran más comunes durante la época medieval. Esta costumbre se debe a la creencia de que una alianza tradicional solo trae mala suerte a quienes la llevan.

Una variación del símbolo del nudo es el nudo gordiano. Se introdujo en los mitos de la antigua Grecia, donde el rey de Frigia desafiaba a todos los que quisieran gobernar el reino a deshacer su nudo porque quien lo consiguiera adquiriría su trono y se casaría con su hija. Alejandro Magno resolvió este acertijo cortándolo con su espada, estableciendo así un precedente de soluciones sencillas y eficaces frente a las complejas.

En los tiempos modernos, el nudo aparece en muchos lugares. Por ejemplo, películas como El Señor de los Anillos y Harry Potter han utilizado el símbolo del nudo. Cuadros famosos como la Mona Lisa de Da Vinci presentan este símbolo en muchas zonas de su vestimenta. De hecho, se cree que Leonardo Da Vinci utilizó el nudo en forma de ocho más de cuarenta veces a lo largo de este cuadro. A primera vista puede parecer que estos símbolos se utilizan solo con fines estéticos. Sin embargo, en realidad contienen un gran significado.

El símbolo del nudo siempre ha sido un símbolo importante en muchas culturas. La razón es la idea de que contiene infinitos lazos, que representan la promesa de una persona de amarse y ser leal a otra. Muchas bodas siguen incorporando este simbolismo hoy en día, regalando collares infinitos a las familias de los novios. Los nudos también se han utilizado con fines religiosos. Se cree que los nudos simbolizan la vida eterna. En el islam, el uso del nudo gordiano simbolizaba la fuerza contra la injusticia.

Los nudos siempre han simbolizado el amor eterno y el compromiso. Representa un voto matrimonial y se ha utilizado para mostrar honor y respeto en muchas culturas de todo el mundo.

Yin-Yang

El símbolo del yin-yang es una representación profunda de la interconexión de todo en el mundo. El lado oscuro del círculo, o yang, representa la energía masculina, que es activa, expansiva y ligera. El lado sombreado, o yin, tiene la energía femenina que es pasiva, receptiva y oscura. Juntos, son opuestos complementarios que siempre se mueven juntos: uno no puede existir sin el otro.

El círculo que rodea este símbolo sagrado suele representar el equilibrio entre estas dos energías. Algunos dicen que simboliza cómo todo en la vida contiene dos mitades - no hay una cosa puramente buena o mala - ambas son necesarias para nuestro crecimiento espiritual. Una vez que entendemos este concepto y lo integramos en nuestra vida, podemos ser más felices y productivos. En el centro está el punto, que representa nuestra verdadera esencia. La esencia es lo que tenemos naturalmente, como nuestro ser original. También se conoce como "la mente original" o "la naturaleza de Buda". La sabiduría de cualquier cosa es cómo interactúa con todo lo demás en el universo. Esta interacción puede ser creativa y dinámica o destructiva y negativa. Todo tiene una forma única de interactuar con todo lo demás, pero todas las interacciones son creativas o destructivas. De este modo, todas las cosas de la naturaleza tienen el mismo derecho a existir sin ser juzgadas por sus diferencias.

El símbolo del yin-yang representa la naturaleza interdependiente de nuestra existencia. Es una indicación de cómo todo en el Universo interactúa entre sí. Por ejemplo, el fuego y el agua no existen el uno sin el otro, ni pueden existir sin el aire, la tierra o los árboles. Una sola gota de agua no tiene vida ni poder por sí misma, pero es un ingrediente esencial para que una planta crezca y se convierta en alimento para un animal. Esto significa que en nuestra vida y en nuestro trabajo, no solo debemos ser conscientes del aspecto yang de nuestra vida. También deberíamos ser conscientes de que formamos parte de todo el ecosistema y de que lo que hacemos repercute en todo lo demás en él, tanto positiva como negativamente.

Pentagrama

El pentagrama es un símbolo que señala las verdades básicas de la existencia. Las cinco puntas de la forma representan los cuatro elementos y el espíritu, mientras que su centro significa la Tierra. Conectado con otros símbolos, se utiliza como talismán para la estabilidad, la defensa contra la negatividad y la abundancia. El pentagrama también es capaz de evocar las energías de la Tierra con fines curativos. Para entender su significado, hay que conocer un poco su historia.

El pentagrama se ha utilizado tanto en objetos mágicos como religiosos, como colgantes y amuletos. Se ha encontrado en dibujos de cuevas neolíticas, en cerámicas de la época del rey Salomón e incluso en monedas romanas. También aparece en varios templos sagrados, como los de Apolo en Grecia y el Panteón de Roma, que se construyó en honor de todos los dioses. Incluso hoy en día, su presencia en la bandera de algunos países, como Etiopía y Japón, es una indicación de su importancia duradera.

El aspecto más interesante del pentagrama es que lo utilizaban tanto los buenos como los malos. Su forma se utilizaba en las joyas de los sacerdotes del antiguo Egipto, mientras que también se grababa en la máscara que se ponía a los criminales en las ejecuciones públicas. De hecho, cuando se observa una imagen del Diablo (o Satanás), suelen tener algún tipo de pentagrama tatuado en alguna parte de su cuerpo. En la actualidad, varias sociedades ocultistas lo han incorporado a su simbolismo.

El pentagrama se utiliza en las artes mágicas porque simboliza los cuatro elementos y los cinco sentidos. Cada punta representa un planeta (Mercurio, Venus, Marte, Júpiter y Saturno), mientras que su forma también se ha considerado un símbolo de la quíntuple naturaleza del hombre (cuerpo, sentimientos, mente, intelecto y espíritu). También se ha asociado a ciertos dioses y diosas en diversas culturas. Por ejemplo:

- En algunos lugares, se utilizaba para representar a Apolo por su vínculo con el Sol. A menudo se le llamaba Febo, que significa "resplandeciente", por lo que tenía sentido que se le representara con un símbolo que representa la luz que emite la Tierra.

- La diosa Diana se llamaba a menudo Diana Lucifera, que significa "diosa de la estrella de la mañana" o "diosa de Lucifer". En este caso, su símbolo es un pentagrama con una estrella en su interior.

- Se decía que Venus, la diosa del amor que todavía se asocia con la belleza y el sexo, estaba representada por un pentagrama porque el planeta que representaba podía asociarse con la lujuria y el deseo sexual, que también se han relacionado con el pentagrama.

- En la antigua cultura egipcia, el pentagrama se utilizaba como símbolo de Osiris, que a veces se llamaba Ra-Osiris (que significa Dios-Osiris). Era conocido como el dios de la fertilidad y la resurrección, así como el señor de la magia y los misterios.

- En la antigua Grecia, el pentagrama representaba a los dioses Hermes y Zeus.

- En el cristianismo, hay una referencia en la Biblia que dice que Satanás es como un pentagrama con dos puntas hacia arriba y dos hacia abajo (las dos puntas hacia abajo representan su caída del cielo). Algunos cristianos todavía utilizan este símbolo para representar a Satanás hoy en día, aunque muchos otros argumentan que no debería utilizarse porque en realidad es una estrella de David invertida -que se originó como un símbolo judío y como tal no debería ser utilizado por los no judíos para representar el mal o cualquier otra cosa negativa.

- En Asia, el pentagrama se utilizaba a veces como símbolo de los cuatro elementos: agua, fuego, aire y tierra.

- En Oriente Medio, a veces se utilizaba para representar los cinco mandamientos del judaísmo: No adorar a ningún dios salvo a YHWH (Yahvé), no cometer asesinato, no cometer adulterio, no robar y no mentir.

- En la antigua Europa, también se consideraba que representaba los cuatro cuartos de la Tierra (los cuatro puntos) y los cinco sentidos del hombre: vista, oído, tacto, gusto y olfato (el centro).

Capítulo 9: La geometría sagrada y las cuadrículas de cristal

Puede desbloquear el poder de la geometría sagrada incorporándola a la construcción de cuadrículas de cristal. ¿Qué es una cuadrícula de cristal? Las cuadrículas de cristal son cuadrículas hechas con cristales que pueden utilizarse para diversos fines. El uso más común es para ayudar en la meditación, pero también se cree que proporcionan beneficios curativos físicos, mentales y espirituales. Vienen en diferentes formas y tamaños, pero todos están formados por cristales incrustados en el suelo o colocados en un soporte. Existen desde los tiempos bíblicos y tienen muchas conexiones con antiguas prácticas religiosas.

Este capítulo explorará la historia de las cuadrículas de cristal, sus correlaciones con la geometría sagrada y por qué deberían formar parte de su práctica espiritual. También hablaremos de cómo pueden ayudarle con problemas específicos que pueda tener. Además de usarse como herramienta para el crecimiento personal, pueden utilizarse para ayudar con problemas como el estrés y la depresión.

Historia de las cuadrículas de cristal

El uso de las cuadrículas de cristal es probablemente mucho más antiguo de lo que la mayoría de la gente cree. El concepto místico de la cuadrícula fue discutido en la Biblia, particularmente en el Libro de Ezequiel. En el Génesis, cuando la Biblia habla de que la Tierra carecía de forma y estaba vacía, en realidad se nos presenta el concepto de "Huevo Áurico" o "Cáscara de Huevo Áurico". Ezequiel afirma que "el huevo áurico" o "la cáscara" (utilizada para la meditación) será dada por Dios a Noé (nótese que Noé fue uno de los constructores y padres de toda la humanidad). A Noé también se le dio "una joya pura e incorruptible", que muchos han supuesto que se refiere al huevo áurico.

En varios lugares del relato de Ezequiel, se describen patrones en forma de cuadrícula en relación a ser dados por Dios al hombre. Concretamente, dice: "*Y os daré un corazón nuevo y pondré un espíritu nuevo dentro de vosotros, y quitaré la columna vertebral de vuestra carne y os daré un hueso nuevo para sustituirla. Y pondré mi Espíritu dentro de ti y haré que camines sobre mi piedra*". (Capítulo 36 de Ezequiel, versículos 26 a 27.)

Después de esto, describe cómo Dios hará cuatro auras o campos áuricos. La primera aura se asocia a la cabeza del hombre, la segunda aura se asocia a su cuerpo desde los hombros hasta las rodillas, la tercera aura se asocia a la zona desde las rodillas hasta los genitales y la cuarta aura se asocia a los pies. Es a partir de estos "campos áuricos" que se esparcieron las semillas del mundo.

También se cree que las cuadrículas de cristal se remontan dos mil años atrás a Mesopotamia, donde los antiguos sacerdotes las utilizaban como parte de las prácticas mágicas. Además, hay diferentes iglesias antiguas en toda Europa y Siria que tienen imágenes y dibujos en las paredes que se asemejan a las cuadrículas de cristal actuales. En la antigüedad, se creía que los cristales tenían propiedades mágicas, lo que los convertía en las herramientas más adecuadas para practicar la magia. La magia solía incluir hechizos y pociones que aumentaban la fertilidad, curaban enfermedades, protegían a la gente de las brujas, etc. También se utilizaban en los rituales de protección, en los que se colocaban en las puertas o ventanas para alejar a los espíritus malignos y protegerse de las maldiciones.

El uso de las cuadrículas de cristal en la geometría sagrada se remonta a los tiempos más antiguos de la humanidad. De hecho, se utilizaban como parte de antiguas prácticas religiosas y rituales, concretamente en las culturas Pueblo. Están hechas de cristales como el cuarzo y la hematita, y capturan la estructura de los patrones que se encuentran en toda la naturaleza. Las cuadrículas fueron descubiertas por primera vez por José López Taibo, que fue el primero en realizar una amplia investigación sobre sus propiedades.

Las cuadrículas de cristal pueden utilizarse para una serie de fines que pueden dividirse en dos categorías: beneficios personales y curación. A menudo se encuentran en salas de meditación, estudios de yoga y prácticas curativas alternativas. Se cree que una vez que una persona entra en el campo energético de una, entra en un estado de meditación mientras los cristales le proporcionan propiedades curativas. También es posible utilizar las cuadrículas para más de un propósito, y muchas personas optan por utilizarlas de este modo.

Las cuadrículas de cristal como herramientas de meditación

Los campos magnéticos naturales de la Tierra son desiguales debido a las cantidades variables de mineral de hierro presentes en diferentes zonas de su corteza. Cuando se coloca un cristal dentro de estos campos magnéticos en ángulos y orientaciones específicas, desarrolla una carga eléctrica interna que hace que su estructura reticular se mantenga erguida. También creará un campo a su alrededor. Este campo se llama "aura" y se extiende en todas las direcciones durante una cierta distancia, que varía según el tamaño del cristal. Los cristales no desarrollan electricidad hasta que están en la orientación correcta, y solo ciertos cristales funcionarán. El cuarzo, la hematita y el basalto son algunos de los cristales que funcionarán. Otro uso de estas cuadrículas es colocarlas debajo de su cama para ayudarle a dormir mejor. También puede colocarlos cerca de las líneas eléctricas u otros lugares que emitan diferentes tipos de energía para recibir también esos beneficios.

También puede hacer una cuadrícula con cristales que se correspondan con su signo del zodiaco. Los patrones formados por la energía en la cuadrícula serán como un mapa de su futuro, similar a los utilizados en la lectura de la mano. Esto puede ser muy útil para cualquier persona que tenga problemas para tomar decisiones o para averiguar sus objetivos y aspiraciones futuras. Estas cuadrículas pueden tener diferentes efectos, como proporcionarle claridad y visión sobre lo que debe hacer a continuación o ayudarle a hacer planes a largo plazo para su vida.

Las cuadrículas de cristal como herramientas de curación

Este tipo de cuadrícula de cristal se utiliza para sanar a las personas y eliminar los bloqueos negativos en sus campos energéticos, que les impiden vivir una vida feliz y plena. Se supone que estas cuadrículas se colocan sobre el cuerpo en las mismas posiciones que los meridianos del cuerpo. Se supone que esto ayuda con cualquier bloqueo en esos meridianos, permitiéndole deshacerse de cosas como el dolor crónico, la depresión y los pensamientos negativos que le impiden ser feliz.

Muchas cuadrículas de cristal se utilizan con fines curativos. Los cristales más pequeños se colocan en los chakras y puntos de acupuntura del cuerpo, y los cristales más grandes se colocan alrededor para crear una cuadrícula con líneas que apuntan en todas las direcciones. Estas cuadrículas desbloquean el flujo de energía en todo el cuerpo y equilibran cualquier desequilibrio en cada chakra. La cuadrícula debe retirarse una vez que se haya producido el ajuste. De lo contrario, puede hacer que se vuelva dependiente de la propia cuadrícula sin dejar de lado los bloqueos del pasado.

Como las cuadrículas de cristal están programadas con frecuencias específicas, pueden utilizarse para ayudarle a centrarse en sus objetivos y aspiraciones en la vida. También pueden ayudarle a desenfocarse de las cosas que pueda considerar poco importantes o que le distraigan. Son básicamente una fuente de energía neutra que le permitirá mantenerse concentrado sin distraerse en los momentos críticos. Esto puede resultar especialmente útil para las personas que padecen trastornos de déficit de atención o que tienen dificultades para mantener la concentración en una cosa concreta durante largos periodos de tiempo.

¿Cómo se crea una cuadrícula de cristal?

Un buen punto de partida es decidir cuál es su intención al crear la cuadrícula en primer lugar. Es posible que quiera crear una cuadrícula para ayudar a manifestar el dinero o el amor. Una vez que sepa cuál es su intención para la cuadrícula, podrá elegir los cristales que funcionen con esta intención. Los colores de sus cristales dependerán de cómo quiera utilizarlos. El rosa es bueno para el amor, el blanco es bueno para la paz y la armonía, y el azul es bueno para la protección.

Una vez que tenga sus cristales en la mano, puede empezar a colocarlos en el suelo. Puede utilizar un rotulador para dibujar la forma que desee, o puede dejar que caigan al suelo y se queden con la forma con la que cayeron. Tenga en cuenta sus intenciones al colocar cada cristal. Si su intención es el amor, entonces coloque un cristal en la parte superior de su cuadrícula y otro en la parte inferior. Asegúrese de que sus cristales se colocan con las puntas apuntando hacia el cielo. Además, nunca coloque un cristal de lado porque esto puede drenar su energía.

A continuación, debe establecer la geometría subyacente de su cuadrícula. Aquí es donde entran en juego sus intenciones:

- Una cuadrícula cuadrada se utiliza para la purificación y para ofrecer protección. También puede utilizarse para limpiar un espacio o una zona que ha sido muy contaminada o que necesita ser despejada.

- Una cuadrícula hexagonal se utiliza en la transmutación elemental. Su propósito principal es curar, restaurar y equilibrar los elementos naturales de la tierra, el aire, el fuego y el agua. Una cuadrícula hexagonal también puede utilizarse para restaurar el flujo en los chakras del cuerpo.

- Una cuadrícula de pentagrama se utiliza para recibir información de sus guías. También se utiliza para recibir información relacionada con los elementos y los chakras.

- Una cuadrícula de estrellas se utiliza para la protección y la limpieza. También puede utilizarse para el desarrollo psíquico y la curación.

- Una cuadrícula radial es un tipo de cuadrícula cuadrada con un círculo en el centro en lugar de un cuadrado. En este caso, se utiliza para la meditación y la curación, aunque puede ser útil para todos los objetivos relacionados con la tierra, el aire, el fuego, el agua, la espiritualidad y la curación. También puede utilizarse en la magia del amor o para hechizos que curen a sus seres queridos o a usted mismo.

- Los tetra cuadrados se utilizan para purificar y equilibrar una zona. Se suelen colocar en las cuatro esquinas de una habitación, pero también se pueden colocar en los cuatro puntos cardinales del exterior de su casa.

- Una cuadrícula de geometría sagrada es un tipo especial de cuadrícula de cristal basada en ciertos patrones sagrados destinados a ser utilizados para el crecimiento espiritual, la meditación y la curación. También puede utilizarse para el desarrollo psíquico y la curación. Hay varios tipos diferentes de cuadrículas de geometría sagrada. Dos ejemplos son la Flor de la Vida y el cubo de Metatrón.

Puede empezar creando una cuadrícula cuadrada, ya que suele ser más fácil de crear que otras formas. Tendrá que conocer las dimensiones del espacio en el que va a colocar su cuadrícula, por ejemplo, una habitación o un patio. Si va a utilizar un espacio exterior, tome las medidas de cada lado y recuerde que un cuadrado tiene lados iguales. Una vez que tenga sus medidas, establezca los puntos en el papel y dibuje líneas de un punto a otro hasta que haya creado su primer cuadrado.

Ahora, puede empezar a añadir otras líneas desde cualquiera de estos puntos para crear el resto de su cuadrícula. El siguiente paso es colocar los cristales en el espacio. Puede hacerlo marcando con cuerdas y pequeñas piedras o disponiéndolos de forma más aleatoria. Aquí es donde entra en juego la magia. Tiene que sentir qué disposición emite la mayor cantidad de energía receptiva. Si no está seguro de la forma de disponer sus cristales, pruébelos todos.

Cristales para elegir

Malaquita: La malaquita es un cristal que tiene un color verde vibrante natural que se puede encontrar en diferentes partes del mundo. Se utiliza para la curación y la protección, y es conocida por ser muy poderosa contra las energías negativas. La malaquita puede mantenerse cerca del teléfono, el ordenador o cualquier otro dispositivo electrónico para evitar que cualquier energía eléctrica o magnética no deseada le dañe a usted o a sus aparatos electrónicos. También se recomienda para quienes trabajan en las fuerzas del orden, ya que limpiará la energía que les rodea, para que no se vean afectados negativamente por los crímenes violentos que ven a diario.

Moldavita: La moldavita es un cristal que se supone que es extremadamente potente y poderoso y se supone que tiene una energía muy positiva, pero también se sabe que atrae algunas energías negativas. La moldavita puede proteger contra el peligro y le ayudará a proteger a los demás también. Sin embargo, no lleve demasiado este cristal cerca de su cuerpo, ya que podría producir energías dañinas a su alrededor. Se dice que la moldavita es la piedra de la transformación y el cambio. También se utiliza para atraer la buena suerte a la vida de uno, así como para permitirle acceder a su nivel más alto de potencial en cualquier cosa que haga.

Selenita: La selenita es un cristal del que se dice que contiene la energía del selenio. Debido a esto, se utiliza en la desintoxicación de la sangre, así como en la purificación del cuerpo de toxinas no deseadas. La selenita puede ayudar a desintoxicar el cuerpo y la mente y también será beneficiosa para aquellos que sufren algún tipo de trastorno mental. La selenita también puede ayudar a uno a encontrar su verdad y a vivir su vida basándose únicamente en esa verdad. Si una persona se encuentra siendo deshonesta, debería tener un cristal de selenita en su casa para poder ver la verdad por lo que es. Cuando este cristal es purificado por el fuego, crea una luz verde dorada extremadamente hermosa.

Ulexita: La ulexita es un mineral muy poderoso que ha sido utilizado desde la antigüedad por chamanes, curanderos y otros practicantes espirituales para inducir estados de trance, curar a otros y traer una conexión intensificada con lo sobrenatural. Se conoce como el cristal de roca del selenio y puede encontrarse en muchas partes del mundo. Pero son sobre todo los cristales de alta calidad los que se utilizan con más frecuencia. Se dice que la ulexita tiene una energía muy positiva y que le ayudará a despertar su capacidad psíquica, así como a construir una vida más positiva para usted. Cuando utilice la ulexita, debe tener en cuenta cómo la coloca en su cuerpo. Si la coloca en el chakra de la coronilla, por ejemplo, aumentará su espiritualidad y ampliará su percepción espiritual. Sin embargo, si la coloca en un lugar menos importante para su sistema energético general (como el chakra de la pierna o el del brazo), no es tan potente y podría causar daño en lugar de bien.

Turquesa: La turquesa puede encontrarse en muchas partes del mundo y posee una energía extremadamente poderosa debido a su conexión con el sol. Puede ayudar con cualquier tipo de curación o desequilibrio que pueda existir en su interior, especialmente para aquellos que sufren problemas emocionales o depresión. Se dice que también ayuda a quienes sufren de pesadillas o insomnio. Es un cristal muy protector que puede colocarse en su casa, coche o lugar de trabajo para protegerle. Puede proporcionarle un paso seguro al viajar y le protegerá de los accidentes y peligros que puedan acechar. Nunca debe utilizar este cristal cuando realice cualquier tipo de trabajo de adivinación.

Ojo de tigre: El ojo de tigre es uno de los cristales más protectores que puede utilizar porque se sabe que desvía las energías negativas y ayuda a sanar el cuerpo. Es una piedra que le ayudará a abrir sus capacidades psíquicas y a aportar claridad en cualquier tipo de situación que pueda surgir. Este cristal se utiliza para la protección contra enemigos, robos y desastres naturales. Puede proporcionar energía a los que están agotados, aportar claridad a las situaciones turbias e incluso darle fuerza si se siente débil. También se dice que el ojo de tigre es una piedra excelente para atraer la prosperidad, el éxito y la buena suerte a su vida. También se dice que ayuda a limpiar el chakra del tercer ojo de pensamientos y energías negativas.

Hay muchos otros cristales que puede utilizar. Solo tiene que elegirlos en función de sus intenciones y de lo que necesite.

¿Cómo elijo un cristal?

Cuando se trata de cristales, mucha gente tiene una gran variedad de opiniones sobre cuál es el "mejor" cristal. Esto se debe a que su propósito puede variar de forma muy significativa. Cuando elija sus propios cristales, piense en su intención general con ellos y en lo que espera conseguir. Hay un cristal para cada propósito, aunque algunos cristales pueden ser más adecuados para usted que otros. Repasaremos algunos de los cristales más utilizados y discutiremos sus usos. Por supuesto, nunca debe utilizar un cristal para su propósito si no es uno que resuene con usted.

Cristales espirituales/de luz: Los cristales con alta energía espiritual son excelentes para la curación y la purificación. Puede utilizarlos para la protección personal o para limpiar la energía negativa de su espacio o de sus objetos. Las piedras espirituales pueden utilizarse en la meditación, en el trabajo con los sueños, para ayudar a encontrar su camino o para recibir la orientación de sus guías espirituales. Los cristales de cuarzo son excelentes para extraer la energía negativa y permitir que la positiva fluya más fácilmente. La energía de estos cristales se utiliza mejor para trabajos que requieren un toque suave, como la curación, el sueño o la canalización.

Cristales para la meditación: Los cristales utilizados específicamente para la meditación suelen ser el cuarzo claro, el cuarzo rosa o la amatista. Estas piedras pueden ayudar a promover la calma, aumentar la conexión a tierra y facilitar la meditación profunda. Algunas de las mejores piedras para utilizar en la meditación son la amatista, la piedra lunar, el lapislázuli y el cuarzo ahumado. Algunas de estas piedras pueden resultarle muy útiles si está trabajando en asuntos difíciles de su vida. También hay otros conjuntos de cristales diseñados específicamente para trabajar con la meditación, así como una variedad de libros que le ayudan a aprender a meditar con diferentes tipos de cristales.

Cristales para la claridad mental: Si quiere mejorar su claridad mental, su clarividencia o hacerse más lógico y claro, hay ciertos cristales que pueden ayudarle. Debería buscar el citrino, la piedra de sangre o la hematites. Estas piedras también son muy útiles para potenciar sus poderes de concentración y le ayudarán a centrarse como nunca antes. Son especialmente potentes cuando se utilizan en combinación con ejercicios de meditación o visualización.

Cristales del amor: Cuarzo rosa, aventurina y lapislázuli. Las piedras del amor más populares son probablemente el cuarzo rosa y el lapislázuli. Estos cristales se pueden utilizar para atraer el amor a su vida, curar las heridas de relaciones pasadas, propiciar los esfuerzos románticos o promover la felicidad en general. Algunas personas creen que estos cristales son útiles en todos los aspectos de las relaciones, incluido el matrimonio.

Cristales curativos: Jaspe, obsidiana y cuarzo ahumado. Los cristales curativos se utilizan para facilitar la curación tanto a nivel emocional como físico. Estas piedras han sido utilizadas durante siglos por muchas civilizaciones diferentes y pueden ayudar con todo, desde afecciones como el insomnio hasta las migrañas y los problemas de digestión. El jaspe se encuentra a menudo en los conjuntos de cristales porque sirve como una buena piedra base y afecta a todas las partes del cuerpo.

Cristales de protección: Cuarzo, turmalina negra y hematita. Si busca cristales protectores, algunos de los mejores son el cuarzo, la turmalina negra y la hematites. Estas piedras pueden utilizarse para una gran variedad de propósitos, desde la meditación hasta el trabajo con los sueños o la protección contra personas o situaciones dañinas. La hematita es especialmente útil cuando se trata de protegerse de la radiación o de los campos electromagnéticos, ya que le hace sentir la tierra.

Cristales del aura: Amatista, citrina, cornalina y alejandrita. Hay algunas personas que creen que estos cristales pueden ayudar al desarrollo de su aura o a su curación. Sin embargo, esto es controvertido y solo debe utilizarlos si resuenan con usted. Son especialmente útiles para potenciar la intuición o hacerse más sensible a la energía psíquica.

Activar la cuadrícula

Lo único más divertido que configurar su cuadrícula de cristales es activarla. Es importante activar la disposición de su cuadrícula cuando se necesite utilizarla para que usted y los cristales estén en la misma página sobre el resultado esperado. El primer paso para conseguirlo es tomarse un breve momento para llenarse de admiración por lo que acaba de crear. Puede que lo sepa o no, pero este es el punto álgido de la creatividad en el mundo de la geometría sagrada, y debería sentirse bien por haber conseguido que sus cristales lleguen a este punto.

El siguiente paso es establecer su intención. Es probable que haya pensado en ella durante toda la fase de construcción, y eso es estupendo. Sin embargo, es aconsejable repasarla de nuevo en aras de la claridad. Con los ojos cerrados, inspire profundamente y visualice su intención como si quisiera transmitirla a otra persona sin necesidad de hablar.

Cuando haya terminado con ese paso, abra los ojos. Trace una línea de un cristal al siguiente utilizando el dedo índice de su mano dominante, empezando por el cristal central. Asegúrese de que su dedo hace contacto físico con cada cristal, y tenga en cuenta no saltarse ninguno ni siquiera accidentalmente. Este proceso puede realizarse tan lentamente como desee, asegurándose de visualizar su intención durante todo el esfuerzo. También puede hacerlo con una varita de cristal si tiene una.

El significado de este proceso es asegurar que todos los cristales contenidos en la cuadrícula se sintonicen y se conecten entre sí. Básicamente, los pone en marcha en una poderosa sinergia para que su intención se manifieste de una manera que un solo cristal no habría podido lograr.

Tenga en cuenta que los cristales absorben y desprenden energías constantemente, por lo que su estado de activación puede debilitarse o comprometerse ligeramente al cabo de unos días, por lo que es importante colocar su cuadrícula en algún lugar accesible para poder reactivarla cada tres o cuatro días. La reactivación lleva unos cinco minutos o menos, teniendo en cuenta la cantidad de cristales que hay en su cuadrícula, así que dedicar un poco de tiempo a atender a sus cristales le ayudará mucho a hacer avanzar su intención.

Capítulo 10: Formas prácticas de utilizar la geometría sagrada

Por qué debería utilizar la geometría sagrada

Explorar la geometría sagrada puede conducir a una vida más plena. ¿Cómo? La geometría sagrada se basa en la creencia fundamental de que todo en la vida está conectado. Busca el equilibrio a través de las relaciones entre varias cosas diferentes. La conciencia de este concepto le ayuda a transformar las luchas en oportunidades, ya que forman parte del orden natural del universo establecido por la inteligencia divina.

Aplicando los principios de la geometría sagrada, podemos alcanzar nuestros objetivos individuales y colectivos, incluyendo la creación de armonía y equilibrio en todos los niveles: físico, mental, emocional, espiritual e incluso social. La geometría sagrada es una herramienta maravillosa para ayudarnos a alcanzar el éxito personal y ver el valor de la vida. Es un puente entre la visión científica del mundo y las creencias personales, que sigue siendo una de las prácticas espirituales más populares de la civilización occidental.

A menudo pensamos en la geometría sagrada como una serie abstracta de formas, pero también puede aplicarse a la vida práctica. En este capítulo, encontrará algunas formas de aprovechar los principios de la geometría sagrada en su propia vida. Vamos a ver formas de utilizar la geometría sagrada en su vida cotidiana.

Examinaremos cómo puede aplicarse a su espacio vital, a la nutrición e incluso a sus relaciones.

Este capítulo tratará sobre cómo utilizar las formas y los patrones de la geometría sagrada de diferentes maneras. Está dirigido tanto a los artistas como a los que les gusta el arte y quieren un poco más de inspiración. La geometría se ha utilizado desde la antigüedad para crear arte y diseñar todo, desde edificios, vehículos y joyas. Se cree que nos sentimos atraídos por estos patrones geométricos debido a su equilibrio y armonía naturales que nuestro cerebro encuentra atractivos. La geometría ofrece estructuras para patrones de apoyo, incluidas las espirales que tienen beneficios terapéuticos para quienes padecen la enfermedad de Alzheimer o el TEPT.

Meditación de geometría sagrada

1. Encuentre un lugar tranquilo donde no le molesten durante 10 o 30 minutos. Ayuda si hace ejercicio o se estira antes para liberar la tensión de su cuerpo (esto no es necesario, sáltese si quiere).

2. Encuentre una posición cómoda y ajuste su postura de forma que ningún músculo esté tenso o forzado (ya sea inclinándose hacia delante, sentado en una silla, arrodillado en el suelo, tumbado de lado).

3. Cierre los ojos y respire profundamente por las fosas nasales y exhale por la boca hasta alcanzar un estado de relajación. Concéntrese solo en expulsar la tensión con cada exhalación.

4. Imagine una corriente de energía que sale de la parte superior de la cabeza y baja por la columna vertebral. Sienta que se mueve a través del centro de su frente, desembocando en una piscina en su chakra de la corona. También puede imaginar que la energía entra por cada ojo y luego baja por cada nervio principal de su cuerpo. Esto le ayudará a desprenderse y ser consciente para poder entrar en un estado de conciencia meditativa en el que su mente se abre a ver y conocer cosas espirituales más allá de usted mismo (elementos, alineaciones de planetas, geometría sagrada, etc.).

5. Traiga a su mente una forma geométrica sagrada e imagine que los siete chakras están abiertos a recibir la energía de esta forma mientras se cierne sobre usted.

6. Sienta cómo la energía fluye por su columna vertebral y hacia cualquier chakra abierto. No se sorprenda si empieza a sentir una sutil vibración o sensación de hormigueo en la frente.

7. Vuelva a respirar profundamente y exhale cualquier tensión del cuerpo mientras mueve la energía a través de la columna vertebral con movimientos ascendentes y descendentes.

8. Con cada respiración y cada vez que la energía suba y baje por su columna vertebral, los chakras se abrirán más y la energía se hará más fuerte hasta que tenga lo que quiere o necesita ver o saber (puede ser cualquier cosa, desde visiones o conocimientos).

9. Tome notas si lo necesita para recordar qué fue lo que vio o experimentó mientras su mente estaba en estado de meditación).

10. Elija otra forma de geometría sagrada si lo desea, y repita el proceso de mover su energía a través de la columna vertebral y el chakra de la corona hasta que sienta que ha visto lo suficiente o ha recibido lo que buscaba.

11. Cuando haya terminado, vuelva a subir por la columna vertebral con su respiración una vez más y termine su meditación.

Cómo la geometría sagrada puede mejorar su espacio

Los patrones geométricos pueden mejorar las energías de un hogar o lugar de trabajo. Los arcos son una excelente adición a cualquier habitación porque aportan fuerza y estabilidad. Por ejemplo, puede colocar una puerta arqueada en la pared Este o Norte en las zonas principales de su casa. Estos arcos fortalecerán y aumentarán la energía de su hogar.

Otra forma que recomendamos utilizar a diario es el triángulo. Los triángulos son sagrados tanto para los egipcios como para los nativos americanos porque se cree que son una puerta para la energía positiva. Por ejemplo, puede colocar un marco de fotos con forma de triángulo equilátero en su escritorio del trabajo o colgar campanas de viento con forma de triángulo en su dormitorio. Estas pequeñas adiciones invitarán más energía positiva a su vida.

Cómo la geometría sagrada puede mejorar su nutrición

Los antiguos egipcios eran grandes aficionados a la geometría sagrada, y creían que los alimentos con forma de pirámide serían absorbidos por el cuerpo más rápidamente. Por lo tanto, debería intentar consumir alimentos con esta forma al menos una vez a la semana.

Un ejemplo es el kéfir, un producto lácteo fermentado al que se le atribuyen propiedades curativas. Los granos de kéfir se forman en forma de pirámide cuando se dejan fermentar durante más de 24 horas. Puede añadir una taza de agua y dos cucharadas de granos de kéfir de arranque a la leche que prefiera (de vaca, almendra, coco o cáñamo) y dejarla en un lugar cálido durante 24 horas. Una vez que la leche haya fermentado, utilice una estopilla para colar los granos de la leche y disfrútela como un bocadillo saludable.

Cómo la geometría sagrada puede mejorar sus relaciones

La geometría también afecta a nuestras relaciones con los demás. Los egipcios creían que el uso de la geometría sagrada podía aumentar la armonía entre las parejas al cambiar la naturaleza del ritmo cardíaco y los niveles de ansiedad. Cuando las personas están expuestas a formas en estas proporciones matemáticas a lo largo de su vida diaria, se sienten más centradas, más sanas y más tranquilas que las que no lo han hecho.

Otras formas de trabajar con la geometría sagrada

- Colorear un mandala

Puede que usted no sea un artista, pero eso no significa que no pueda utilizar la geometría sagrada para expresarse. No tiene que ser un pintor o un maestro del arte para hacer un buen uso de ella. Puede limitarse a dibujar en la arena de la playa y hacer unos diseños muy chulos. No importa su nivel, siempre es una buena idea expresarse artísticamente.

Una forma estupenda de hacerlo es a través de los libros para colorear y las páginas para colorear para adultos. Parece que todo el mundo lo hace hoy en día. Esta puede ser una forma barata y divertida de expresarse y hacer algo creativo. Otra cosa que puede hacer es crear sus propias páginas para colorear de mandalas. Debe utilizar un fondo o un papel que no sea restrictivo. Un papel blanco bonito sería mejor que uno negro porque quiere que los colores del mandala se vean bien. Si no es un artista, no se preocupe por hacer su propio libro para colorear. Puede encontrar páginas para colorear en Internet que puede imprimir, colorear y enmarcar para colgar en su casa si lo desea.

- **Colóquelo en su altar**

Los símbolos de geometría sagrada, como los mandalas, pueden colocarse en su altar para la meditación o los rituales. Un altar es un lugar privado al que puede acudir para alejarse de todo. Puede ser muy útil cuando necesite relajarse y olvidarse de sus problemas. Tener una geometría sagrada colocada en su altar le ayudará a recordar la espiritualidad que nos conecta a todos y cómo todo está conectado de una manera que quizá no comprendamos del todo.

- **Meditar**

Para cualquiera que esté empezando a conocer estos símbolos, la geometría sagrada puede ser un poderoso aliado en su viaje hacia la iluminación. Muchos de estos símbolos podrían verse como herramientas de meditación que ayudarán al usuario en su viaje espiritual. Las formas de la geometría sagrada son fáciles de utilizar en la meditación porque simplemente puede utilizar su imaginación para formarlas a su alrededor. Para utilizar la geometría sagrada en la meditación, empiece por elegir un objeto como un triángulo o un cuadrado e imagínelo a su alrededor como si lo hiciera de aire. Hay muchos tipos diferentes de meditación. Para esta meditación, solo va a utilizar su imaginación para formar formas a su alrededor. Mientras lo hace, imagine la energía a su alrededor, dentro de usted y en la forma que está haciendo en su mente.

Cuando medite con formas de geometría sagrada, asegúrese de utilizar su imaginación al máximo. Déjela volar como un niño que juega a fingir con sus juguetes. Cuando empiece a visualizar estas formas a su alrededor, piense en cómo le ayudarán a desarrollar cualidades positivas en su interior, como el amor, la compasión y la buena salud.

- **Hágase un tatuaje**

Una de las mejores formas de expresarse a sí mismo y a su espiritualidad es hacerse un tatuaje. Aunque hay muchos tatuajes que representan la espiritualidad, los tatuajes de geometría sagrada pueden ser muy bellos, intrincados y llamativos. Cualquiera que se haga un tatuaje de geometría sagrada estará haciendo una declaración audaz sobre sus creencias.

Los tatuajes de geometría sagrada suelen estar formados por formas complejas que representan la interconectividad de todo en el universo. Esto puede incluir círculos, triángulos, cuadrados y muchas otras formas como cubos o diamantes. Hoy en día, no es tan difícil hacerse un tatuaje religioso como antes porque la sociedad se ha vuelto más aceptante.

Lo mejor es que un tatuador profesional le haga su tatuaje de geometría sagrada. Si no se siente cómodo haciéndolo usted mismo, hable con un amigo o familiar que pueda darle recomendaciones. Sin embargo, si decide hacerse su tatuaje de geometría sagrada, asegúrese de que sea una hermosa obra de arte que pueda llevar con orgullo el resto de su vida.

- **Pruebe a decorar**

Si está buscando una forma de elevar su juego de decoración, entonces incorporar la geometría sagrada en ella es la respuesta. No solo es moderna y clásica, sino que también estimula una sensación de calma. Le ayuda a comprender cómo todas sus posesiones actuales, que están formadas por objetos físicos e ideas, pueden reorganizarse y transformarse para estimular sentimientos o recuerdos específicos. Esto le permite crear un entorno que despierte la energía más positiva para usted y los demás.

Puede utilizar los círculos para crear equilibrio y armonía en el entorno. Pruebe a utilizar piezas de arte redondas (como cuadros, tapices, etc.), muebles, alfombras o cojines que tengan círculos. Para una forma fácil de incorporar los círculos a su decoración, también puede utilizar un juego de mesa redondo con platos, tazas y cubiertos.

Otra forma estupenda de añadir la geometría sagrada a la decoración de su casa es utilizar la estrella de cinco puntas (pentagrama) de cualquier forma posible.

El pentagrama es un símbolo que representa el número 5, que se relaciona con el equilibrio y la armonía. La estrella se encuentra en la naturaleza en casi todo, desde flores y serpientes hasta galaxias e incluso rayos. En las civilizaciones antiguas, el pentagrama se utilizaba mucho, ya que se consideraba un símbolo de protección, buena fortuna y salud. Puede colocar las obras de arte u otras cosas con cinco puntos en ellas alrededor de su casa o crear arte con pentagramas hechos de papel o cartón y colgarlos en su pared. También puede hacer un pentagrama enorme de papel y colocarlo en la pared de su casa.

Para otra forma fácil de crear geometría sagrada en la decoración de su casa, puede simplemente añadir un cuadrado. El cuadrado tiene que ver con el equilibrio, ya que está formado por cuatro líneas rectas que se unen en ángulos rectos. Pruebe a utilizar un trozo de madera con cuatro lados, o podría pintar cuatro cuadrados diferentes uno al lado del otro en su pared. También podría utilizar un trozo cuadrado de tela o tela vaquera.

No hay una forma correcta o incorrecta de crear un espacio sagrado. Lo único que importa es lo que significa para usted. Antes de decorar cualquier espacio, piense en los sentimientos que quiere que tengan usted y los demás a su alrededor en ese entorno. Pregúntese qué tipo de emociones desencadenará cada pieza de arte y qué colores le harán sentirse más feliz y positivo. Estos sencillos ejercicios pueden dar una vibración más amorosa y energética a su espacio.

Independientemente de lo que decida hacer con las formas de geometría sagrada, es importante recordar que son simplemente herramientas que le ayudarán a desarrollar su propia espiritualidad y a encontrar el equilibrio en su vida, así como a equilibrar todo lo que le rodea. Las formas de geometría sagrada no son para ser adoradas y son simplemente formas de expresarnos. Por sí solas, no son tan poderosas como las hacemos ver, pero cuando se combinan con una espiritualidad genuina, son una herramienta muy poderosa para aprender a encajar en el universo.

Conclusión

El estudio de la geometría sagrada, en su conjunto, es un campo de estudio fascinante. Tradicionalmente se ha malinterpretado como la búsqueda de conexiones entre el universo y las matemáticas por parte de los geómetras. En realidad, es más que eso: es una exploración de la creatividad y la simetría en sus formas más puras. Las matemáticas adquieren vida propia, y cada conjunto de números representa algo majestuoso y totalmente profundo.

La geometría sagrada es el estudio de los patrones, independientemente de su origen o forma. Estos patrones se encuentran en la naturaleza y a lo largo de la historia en obras de arte religiosas y similares. Desde la geometría sagrada de un triángulo hasta la de un círculo, cada patrón es único y hermoso.

La geometría sagrada no está reservada solo a los que estudian matemáticas, sino a los que comprenden cómo los patrones pueden ser tanto más como menos de lo que parecen en la superficie. La geometría aparece en todas partes donde miramos: en la música, en las obras de arte y en la arquitectura. Este conocimiento universal existe porque tenemos el deseo de ver el orden en el caos y el sentido en la aleatoriedad en todas las cosas, no solo en las matemáticas.

La geometría sagrada tiene que ver con el equilibrio y la armonía. Se trata de utilizar los patrones creados por la naturaleza para crear orden a partir del caos, para utilizar la armonía y el ritmo como medio de curación o como base para crear belleza. Se trata de encontrar los secretos que hay detrás de todo lo que vemos, oímos y sentimos, y de comprender que hay algunos secretos que nunca pueden descifrarse.

La geometría sagrada está a nuestro alrededor y deberíamos abrazarla como tal. El estudio de la geometría sagrada y de las matemáticas proporciona un vínculo estupendo con la verdadera belleza de la vida en todas sus formas y expresiones. Hay un profundo misterio y maravilla en el universo, y la geometría sagrada es un método para volver a conectar con ese conocimiento, a la vez que proporciona un poco de conocimiento sobre el funcionamiento de nuestras mentes. Puede transformar su vida trabajando con estas formas sagradas. Ahora tiene todas las herramientas que necesita. Lo que ocurra a continuación depende totalmente de usted.

Vea más libros escritos por Mari Silva

Su regalo gratuito

¡Gracias por descargar este libro! Si desea aprender más acerca de varios temas de espiritualidad, entonces únase a la comunidad de Mari Silva y obtenga el MP3 de meditación guiada para despertar su tercer ojo. Este MP3 de meditación guiada está diseñado para abrir y fortalecer el tercer ojo para que pueda experimentar un estado superior de conciencia.

https://livetolearn.lpages.co/mari-silva-third-eye-meditation-mp3-spanish/

Glosario

1: El Círculo

2: La Vesica Piscis

3: El Triángulo

4: El Cuadrado

5: El Pentágono

6: El Hexágono

7: El Heptágono

8: El Octógono

9: El Nonágono

3, 6, 9: Una fuerza poderosa que podría dar forma y destruir todo el universo.

Cuadrícula de cristales: Cristales dispuestos en formación de cuadrícula. Destinados a servir a una intención o propósito específico.

Secuencia de Fibonacci: ¿Qué es? La Secuencia de Fibonacci es una serie de números en la que cada número es la suma de los dos números anteriores. Comienza con 1, 2, 3, 5, 8, 13 y continúa con 21, 34...

Relación áurea: La proporción áurea (1,618...) es el nombre que recibe un valor simétrico que resulta agradable a la vista.

Cubo de Metatrón: Una forma que engloba todos los sólidos platónicos. El tetraedro estrella.

Merkabah: La palabra hebrea para carro. Un vehículo o medio de transporte utilizado para ir de un lugar a otro. En la Cábala, es un mapa de cómo la conciencia se mueve a través del tiempo y el espacio.

Numerología: El estudio del simbolismo de los números. Es la idea de que los números tienen significados y personalidades distintas.

Sólidos platónicos: Tetraedro, octaedro, hexaedro, icosaedro, dodecaedro, cubo de Metatrón

Números primos: Un número entero mayor que 1 que solo puede dividirse en partes iguales por 1 y por sí mismo, como 3, 7, 11, 13.

Geometría sagrada: Geometría que se considera sagrada.

Formas sagradas: Espiral, cruz, mandala, estrella de David, toro, nudos, yin-yang, pentagrama

Formas de la vida: La semilla de la vida, el huevo de la vida, el árbol de la vida, el fruto de la vida, la red de la vida.

Referencias

Bauval, Robert, and Adrian Gilbert. The Orion Mystery: Unlocking the Secrets of the Pyramids. 1st American Paperback ed. New York: Three Rivers Press, 1995.

Braden, Gregg. The God Code. Carlsbad, CA: Hay House, 2005.

Buhner, Stephen Harrod. The Secret Teaching of Plants. Rochester, VT: Bear and Company, 2004.

Bushby, Tony. The Secret in the Bible. Queensland, AU: Joshua Books, 2003.

Cayce, Hugh Lynn. Oneness of All Force. Virginia Beach, VA: A.R.E. Press, 1935.

Halevi, Z'ev ben Shimon. Kabbalah and Exodus. York Beach, ME: Red Wheel/Weiser, 1988.

Hall, Manly P. The Secret Teachings of All Ages. Golden Anniversary Ed. Los Angeles: Philosophical Research Society, Inc., 1977.

Knight, Christopher, and Alan Butler. Before the Pyramids London: Watkins Publishing, 2011.

Krajenke, Robert W. Edgar Cayce's Story of the Old Testament from the Birth of Souls to the Death of Moses. Virginia Beach, VA: A.R.E. Press, 2004.

Matt, Daniel. The Essential Kabbalah. Secaucus, NJ: Castle Books, 1997.

Silberer, Herbert. Hidden Symbolism of Alchemy and the Occult Arts. New York: Dover Publications, Inc., 1971.

Strachan, Gordon. The Bible's Hidden Cosmology. Edinburgh: Floris Books, 2005.

www.ingramcontent.com/pod-product-compliance
Lightning Source LLC
Chambersburg PA
CBHW072011170425
25169CB00059B/27